PENSATIVA

JESÚS GOYTORTÚA

PENSATIVA

Edited with Introduction, Notes,
Cuestionario, and Vocabulary
by
Donald Devenish Walsh
THE CHOATE SCHOOL

PRENTICE-HALL, INC., Englewood Cliffs, New Jersey

Printed in the United States of America

ISBN: 0-13-655605-1

30   29   28

PRENTICE-HALL INTERNATIONAL, INC., *London*
PRENTICE-HALL OF AUSTRALIA, PTY. LTD., *Sydney*
PRENTICE-HALL OF CANADA, LTD., *Toronto*
PRENTICE-HALL OF INDIA PRIVATE LIMITED, *New Delhi*
PRENTICE-HALL OF JAPAN, INC., *Tokyo*

PARA

E. S. P.

gran aficionado de lo mexicano

PREFACE

THE present text of *Pensativa*, which is taken from the edition published by the Editorial Porrúa in 1945, has been somewhat shortened through the elimination of some descriptive passages and a few of the less important episodes. *Pensativa* is a novel of mystery and suspense, and since the pace at which this edition will be read necessarily creates an additional suspense of its own, the editor feels justified in thus speeding up the development of the plot. The novel's straightforward style and the infrequency of local or colloquial words make it easy enough to be read in second-year classes in schools and colleges.

The editor is deeply indebted to Sr. Goytortúa for authorizing this edition; to Mr. E. Stanley Pratt, of Choate, who first called the editor's attention to the novel; to Mr. Allen S. Wilber, of F. S. Crofts & Co., for helpful suggestions; and to Professor Joseph Barlow, of New York University, General Editor of the Crofts Spanish Series, for his shrewd and scholarly advice during the course of the editorial work.

D. D. W.

The Choate School
Wallingford, Connecticut

CONTENTS

TO THE STUDENT

You are about to read a "best-selling" Mexican novel that, in 1945, won the Lanz Duret Prize, the highest fiction award of the year. It was published the same year and immediately won popular and critical support: the film rights have been bought by Filmex, a leading Mexican movie studio, for the highest price ever paid for the rights to a Mexican novel; and the literary review, Letras de México, summarizing Mexican literature for the year, gave it second place among all the novels published in 1945.

The action of *Pensativa* takes place following a civil war, a civil war in the twentieth century, as recent as 1928. You must not think, however, that the cruelty and hate shown in parts of this novel are typical of modern Mexico, any more than a story of the French or the American Revolutions would be typical of these countries in times of peace, or a gangster novel or a detective story typical of our normal life. This is not a propaganda novel; the author does not support either party to the conflict; he is opposed only to the tragic waste of civil war, and on this we can all agree.

Jesús Goytortúa, the author of *Pensativa*, was born in the town of San Martín, in Mexico, in 1910. His father died in 1916, and in 1924, to help support his mother, he was forced to leave school and go to work, first as an office-boy, then as a traveling salesman. He had always been interested in writing, and he kept up his interest in literature and philosophy, attending courses whenever and wherever he could, buying books out of his meager earnings. In 1938, he published a volume of short stories, *El jardín de lo imposible*, and in 1944, convalescing from a serious illness, he read the announcement of the contest for the Lanz Duret Prize. There was less than a month and a half left before the deadline, but he set to work, planned and wrote *Pensativa* in three weeks, revised and submitted it. In April, 1945, came word that it had won first place in the contest. His second novel, *Lluvia roja*, was awarded the fiction prize of the City of Mexico in 1946, and he is now writing a third novel and a collection of short stories related to the civil war that forms the background of *Pensativa*.

In the present edition of *Pensativa*, the text is followed by notes, questions and a vocabulary. References from the text to the notes are indicated by a small circle° after the word in the text. The questions will help you to test your understanding of the story.

I can't expect that *Pensativa* will interest you so much that you won't be able to put it down and will have to finish it in one sitting, but I do hope that you will be moved and excited by the story, and eager to solve its mystery, as I was when I first read it.

DONALD D. WALSH

IMPORTANT
PERSONS AND PLACES

ROBERTO: the hero and narrator
PENSATIVA: nickname of Gabriela Infante, the heroine
DOÑA ENEDINA: Roberto's aunt
IRENEO: doña Enedina's coachman
CORNELIO: Roberto's cousin
GENOVEVA, also called Veva and la Chacha: servant of
   Enedina and former nurse of Roberto
DOCTOR LÓPEZ: the family doctor
JOVITA: Roberto's cousin and nurse to doña Enedina
FIDEL: young servant of doña Enedina
BASILIO: overseer of Pensativa's plantation
GUSTAVO MUÑOZ: detective from Mexico City
EL ALACRÁN: Muñoz's assistant
FATHER LEDESMA: priest and old friend of Pensativa and
   Cornelio

SANTA CLARA DE LAS ROCAS: town in Mexico, and scene of
   the novel
LA RUMOROSA: home of doña Enedina
PLAN DE LOS TORDOS: plantation of Pensativa
LAS PIEDRAS COLORADAS: mountain where Cornelio has a
   small ranch

PENSATIVA

1

ENCUENTRO UN AMARGO PLACER EN RE-
cordar aquellos días en los que mi existencia abandonó su
cauce normal, en los que me vi envuelto en una tormenta
que para siempre trazó su huella en mí. Jamás podré olvidar a Pensativa. A veces oigo su voz entre las ráfagas que se   5
precipitan sobre los fresnos de mi jardín y en mil ocasiones
me he estremecido encontrando en algunas mujeres algo
como reflejos de su gesto aquel° tan grave, saudadoso, que
le valió el nombre de Pensativa. No he vuelto a Santa Clara
de las Rocas, ni he visto otra vez a las nubes abandonar su   10
imagen a las aguas del río; no volveré a la casona del Plan
de los Tordos, ni dejaré a mi caballo bordear los precipicios
de la cordillera, ni oiré, en la margen de la Poza de los Cantores, brotar el grito de angustia que una tarde me hizo
conocer el terror junto a los viejos muros de la Huerta del   15
Conde.

Sin embargo, de vez en cuando siento que me gustaría
olvidar, que me agradaría convencerme de que jamás salí
de México° para ir a Santa Clara de las Rocas, a mi pueblo
natal, al que no había vuelto desde que mi madre, recién   20
viuda, me llevó a la capital de la República para la iniciación de mis estudios. Ni siquiera las vacaciones me habían
hecho regresar al terruño. Mi madre, al morir, me había

1

dejado una pequeña herencia que me permitía vivir sin
trabajar, y me hice tan concienzudamente citadino que la
perspectiva de una excursión a mi pueblo me colmaba de
repugnancia. Y con todo, hube de emprender esa excursión
5 cuando me llegó el telegrama anunciándome la gravedad
de mi tía Enedina.

Mi tía, única hermana de mi padre, quería verme antes
de morir y el llamado resultó tan patético que me habituó
rápidamente a la idea de ir a soportar incomodidades y
10 fastidios. Cuando el tren me alejó de México, yo estaba
muy distante de sospechar la tempestad que me aguardaba y
de prever que el sufrimiento iba a hacer surgir mis primeras
canas.

Cuando bajé en la pequeña estación, me esperaba una
15 volanta en la que me acomodé al lado de Ireneo, el cochero
de mi tía. Pronto rodó el cochecillo por una ruta polvo-
rienta, bajo el cielo que se vestía de nubes pluviosas. Mi
tía habitaba al otro lado de Santa Clara, en su finca de la
Rumorosa y nos fué preciso atravesar la población. Encon-
20 tré las calles invadidas por la hierba, sumergidas en un
mortal silencio. La guerra civil° había herido con crueldad
a mi pueblo natal.

Llegamos a la Rumorosa por una calzada bordeada de
gigantescos eucaliptus. El caballito trotaba con alegría al
25 acercarse al portón coronado con una cruz de piedra que
no pude ver sin emoción. Recordé los días de mi infancia,
en los que jugaba en la calzada con mi primo Cornelio, bajo
la mirada vigilante de la Chacha Genoveva y por primera
vez desde que salí de México no me sentí fuera de mi
30 centro.

Un muchacho nos franqueó la entrada y pudimos penetrar en el patio cuadrado, rodeado de arquería, en cuyo
centro se desgranaba una fuente. Y la mujer que corría a
encontrarnos, secándose los ojos con su delantal blanco y

bordado, era la Chacha, mi antigua niñera, la excelente Chacha Genoveva, a la que yo había visto correr, llorando y gimiendo, junto al coche que nos había llevado, a mi madre y a mí, lejos de Santa Clara de las Rocas. Me abrazó casi convulsivamente, admirada de encontrarme convertido en un hombre, como si hubiese creído que el tiempo no pasaría sobre mí, y llena de orgullo al descubrir en mi rostro la expresión que he heredado de mi padre.

Cuando se hubo calmado, me enteró de que mi tía iba a mejorar.

—Creo que por esta vez se escapará—me dijo en voz muy baja.

Pregunté si podía verla y la Chacha me condujo a la recámara de la enferma. Oí una voz desfalleciente y me acerqué al lecho. Una mano descarnada buscó la mía. Sentí una rara angustia al estrechar aquella mano trémula, como si se hubiese vuelto a anudar un invisible lazo entre mí, el hombre que se había desarraigado, y mi familia, mi sangre, representada por aquella viejecita que había jugado con mi padre y había visto al camposanto poblarse con los seres amados.

Experimenté una piedad casi desgarradora y deseé de todo corazón el alivio de mi tía. El médico, el anciano doctor López, me dió esperanzas.

—No la fatigues—me ordenó paternalmente.

Mi tía quiso protestar, pero el doctor la convenció y me hizo salir al corredor, donde él mismo se me reunió poco después.

—Ha pasado el peligro—me dijo mientras limpiaba sus anteojos.—Creí que se moría. Tiene fatigado el corazón. Tú sabes que en esta zona había muchos cristeros° y que los combates eran diarios. Yo le decía a doña Enedina: un par de viejos carcamales como usted y yo no deben preocuparse de si ganan los rojos o los azules.° Pero no me hizo caso y ahí tienes el resultado.

Se puso los anteojos y me miró, sonriendo.

—Roberto, no te has casado ¿verdad?

—No, doctor.

—Mal hecho. Cásate ahora que estás aquí. Hay mucha-
5 chas tan bonitas en Santa Clara que me da pena ser tan
viejo.—Sonrió y varió la charla:—Me dabas buenos sustos
cuando eras un chiquillo. A las dos horas de nacido ya esta-
bas en un baño de agua casi hirviente.

Al despedirse prometió volver al día siguiente y quedarse
10 a comer. Instalándome en mi antiguo cuarto, en el que
aún se conservaban mis libros escolares y mi lazo° de la
primera Comunión, disfruté de tal dulzura que no pude
sospechar cómo estaba cercano el huracán.

2

FUERON HERMOSOS ESOS DÍAS, LOS PRIMEROS
de mi estancia en la Rumorosa. ¿Dónde estaba el fastidio
que tanto había temido al salir de México? Me sentía
fortificado, como si al pisar la tierra natal en la que mi
apellido no era un nombre entre tantos, en la que por todas
partes encontraba huellas de mis abuelos, yo hubiese conec-
tado con una corriente de energía.

Antes de almorzar saludaba a mi tía, que iba recuperando
las fuerzas. Mi prima Jovita, una mujer delgada y tímida,
vestida de negro, había llegado para servir de enfermera y   10
ella era quien me abría la puerta de la alcoba.

La luz entraba por la ventana del jardincito, una luz
terciopelada bajo la cual encontraba yo el semblante afilado
de mi tía. Yo tomaba de la bandeja de plata que traía Jovita el vaso de leche y lo acercaba a los labios de la anciana,   15
que con ello gozaba, enternecida.

Principiaba así dichosamente la jornada. En la mañana,
tras de almorzar, aceptaba el caballo que me traía el mocito
Fidel y abandonaba la Rumorosa para dar largas galopadas
por el campo. El mocito me indicaba los sitios que hacía   20
tiempo yo había olvidado. Me llevó al cementerio, sembrado de las tumbas de mi familia; a las pozas, medio secas en
esos días, en las que nos bañábamos bajo los sauces; al río,

por cuyo lecho no corría entonces más que un hilillo de agua. Fidel me señalaba las marcas dejadas por las crecientes en las márgenes tajadas y apuntaba después a las nubes que entoldaban el cielo.

5 —No tardará mucho en llover—me decía—y entonces verá usted cómo se pone el río.

—Me iré cuando principien las lluvias—le respondía yo.

—Esto, con el lodo, estará abominable.

Volvíamos a montar y regresábamos a Santa Clara, cuyas
10 torres nos espiaban sin descanso sobre la arboleda. En las tardes yo hacía visitas o las recibía. Visitaba a mis parientes y a los antiguos amigos de mis padres. En aquellas casas encontré una turbadora población femenina: muchachas casi todas condenadas a morir solteras por la emigración de
15 los hombres, pero casi todas hermosas, de grandes ojos obscuros en el rostro de óvalo perfecto, de señoriles movimientos.

—Tía—le pregunté una tarde—¿qué dirías si me casara en Santa Clara?

20 —¡Oh! Roberto—respondió ella, juntando las manos.— Cásate, cásate en tu pueblo. Nuestros jóvenes se van en busca de fortuna y jamás regresan. Esa es la causa de que Santa Clara esté llena de muchachas guapas sin novio. Cásate con una chica de tu pueblo, que° aparte de tener
25 una esposa intachable harás una obra de caridad.

Me pareció tan singular casarme por filantropía, que me eché a reír. Las tres mujeres se habían puesto a imitarme, cuando de improviso las vi recuperar la seriedad.

—¿Qué les pasa?—pregunté.

30 Ellas se miraron, indecisas. Después, mi tía se animó a balbucear:

—Es que . . . ya te tenemos novia

—¡Esa sí que es noticia, tía!

—Una novia incomparable—exclamó la Chacha, arreba-
35 tada.

—¿Tanto así? ¿Y quién es ella?

Las tres volvieron a mirarse con tanta inquietud que me intrigaron.

—¿Qué tienen ustedes?—pregunté.—Hablen, que me han excitado la curiosidad.

—Díselo tú, Chacha—pidió mi tía.

—No hay por qué no decírselo—exclamó la Chacha, con súbita energía.—La novia que te tenemos es la más hermosa de las mujeres, la más santa, la más pura, un tesoro, una maravilla.

—Basta, Chacha—le rogué, no sabiendo si reírme o si admirarme.—No la elogies tanto, que me dará miedo casarme con ella.

—Es un tesoro—afirmó Veva, yendo a sentarse junto a mí—pero tú eres digno de cualquier tesoro.

La risa me ganó tanto que durante un rato no pude hablar.

—Gracias, Chacha—pude decir finalmente.—Si tú no dices eso, nadie lo dirá.

Ella me tomó las manos con las suyas tan rudas.

—Yo sé lo que digo: Pensativa es digna de ti y tú eres digno de ella.

—¿Pensativa?—exclamé.—¿Hay alguna muchacha que lleve un nombre tan raro?

Mi tía pidió sus lentes y quiso que Jovita la incorporara un poco. Yo sentí un soplo de misterio ondear en aquella habitación.

—Pensativa no es el nombre de tu novia—me explicó mi tía—sino el sobrenombre.

—Una novia con sobrenombre no es una novia muy apetecible—protesté.

—No te apresures a sacar conclusiones—me pidió mi tía.—No conoces a Pensativa, pero desde que llegaste, nosotras pensamos en lo hermoso que sería casarte con ella. El señor cura y el doctor piensan lo mismo.

—Pero, tía ¿quién es Pensativa?

—Es— ... principió a decir la Chacha.

La interrumpí:

—Veva: ya sé que es un tesoro y una maravilla, pero lo
5 que quiero saber es el nombre que le pusieron en la pila.

—Su nombre no te es conocido—dijo mi tía, hablando
lentamente, con cuidado.—Se llama Gabriela Infante, pero
todo el mundo la conoce por el sobrenombre que le puso
el doctor. Es tan reflexiva, tan seria, sin ser adusta; tan
10 melancólica, que a todos nos pareció admirable llamarla así.

—No me gustan las mujeres melancólicas—argüí.

—La melancolía de Pensativa te gustará. ¡Ah! no digas
nada antes de conocerla.

—¿Pero cómo es que aún no conozco a mi futura?—
15 inquirí.—Creía haber visto a todas las jóvenes de Santa
Clara de las Rocas.

—Pensativa no vive en Santa Clara—dijo Genoveva—sino
en su hacienda del Plan de los Tordos.

—No conozco esa hacienda ni sabía que existiera.

20 —Está al otro lado del río, sobre el camino viejo de Guanajuato. Pensativa vive sola con sus mozos.

—¡Vaya una compañía!

—¡Ninguno se atrevería a tocarla!—gritó Jovita, con tanto
calor que me asombró.

25 —Prima—le dije—¿qué te pasa?

—Perdóname—me pidió ella—pero es que conozco a los
mozos del Plan de los Tordos. No son mozos como los
otros, sino hombres valerosos y fieles, hombres que han ...

—¡Jovita!—la interrumpió mi tía, severamente.

30 Jovita se serenó con un esfuerzo, pero su agitación me
había aguijoneado la curiosidad.

—Esto es asombroso—dije.—Acaben de explicarme todo
lo concerniente a Pensativa, porque me muero de impaciencia.

35 —Pues todo es fácil de explicar—reanudó la Chacha.—

Pensativa vive con sus mozos, que son hombres fieles a la familia de la muchacha. Son rancheros rudos, pero tan apegados a su ama que más parecen sus esclavos. Ella es la última de su nombre. Su familia vivió siempre en Guanajuato y por eso no la oíste nombrar nunca. Cuando hace 5 cinco años murió el último hermano de Pensativa, ella se vió° en malas condiciones de fortuna y regresó a Santa Clara, a la hacienda que por siglos ha sido de su familia. Es melancólica, pero tan hermosa, tan interesante, que yo estoy segura de que la harás tu esposa. 10

—Yo también estoy segura de eso—interrumpió Jovita.— ¡Oh! Roberto, tú te casarás con ella. Tú sabrás devolverle la alegría y te la llevarás de este desierto.

—¿Llamas desierto a Santa Clara?—pregunté, pasmado al oírla maltratar a su pueblo. 15

—Para Pensativa éste es un desierto, un puro peñascal— continuó Jovita.—Ella merece palacios, merece no seguir sufriendo en esta región que la atormenta.

—¡Jovita!—volvió a exclamar mi tía.—Mujer, si sigues con tus imprudencias, mejor te sales de mi pieza. 20

—No vayas a creer—me pidió la Chacha—que Pensativa se queje. Es orgullosa y no creo que ni siquiera piense en las delicias de vivir en México. Mira—añadió, volviendo a apoderarse de mis manos—no sabemos pintártela, pero la adoramos. Tú la verás y la juzgarás. Ella sufre. Esto puedo 25 decírtelo. Sufre y oculta su pesar de verse sin familia, de haber dejado de ser rica, de tener que vivir en una hacienda que por mucho tiempo estuvo deshabitada, de no poder hablar sino con rústicos. Sufre también porque en la guerra religiosa le mataron a su único hermano y se lo mataron 30 de un modo horrible, colgándolo. Es altiva y parece altanera, pero tiene un corazón exquisito. La verás y la harás tu mujer.

—Y ella ¿querrá hacerme su marido?

—Dios permitirá que te quiera—dijo mi tía. 35

—Eso no está en duda—protestó la Chacha.—A mi niño
¿qué mujer le diría no?

Desbordando ya curiosidad, pregunté cuándo tendría la
dicha de conocer a Pensativa.

5 —Esta misma noche—me respondió Veva.

—¿Cómo? ¿Tendré que ir hoy mismo al Plan de los
Tordos?

—No serás tú quien vaya, sino Pensativa quien venga.

—Todos estos enredos tienen su gracia—resolví.—Una
10 novia a la que se conoce por un sobrenombre y que no vive
como cualquier señorita, sino en una hacienda custodiada
por vaqueros; un pretendiente que espera a su futura en su
casa mientras ella corre los caminos en la noche; y tres
viejas locas que se imaginan posible un matrimonio en tales
15 condiciones.

—Gracias por lo de locas—dijo mi tía.

—¿Y qué tiene de malo que Pensativa venga de noche?—
preguntó Jovita.—Seguramente la escoltará Basilio, su caporal, que es fiel como un perro. Además, a Pensativa no
20 le gusta ver a la gente del pueblo.

—¡Eso está mejor!—exclamé.—¿De modo que no le gusta
ver a la gente del pueblo?

—No es que no le guste—explicó Genoveva.—Lo que hace
es evitar a gente que sólo se guía por la curiosidad y que no
25 le perdona el vivir recluída en el Plan. En Santa Clara
no la conocen porque jamás llega más allá de la Rumorosa.
En el pueblo apenas si se acuerdan de que los Infante
fueron los amos de esta tierra.

—Luego ¿no se acuerdan de esa familia?

30 —Los Infante se olvidaron de Santa Clara y Santa Clara
se olvidó de los Infante—terminó mi tía, molesta.—Pero
el apellido ha vuelto a hacerse famoso en estos últimos
tiempos. El caso es que Pensativa vendrá esta noche a
visitarnos y que tú podrás juzgar.

35 —Vendrá otra noche, que° no en ésta—dije, sonriendo.

—¡Miren qué gotas empiezan a caer!—Pero luego dejé de sonreír porque sentí un raro pesar al comprender que el chubasco me impediría conocer a Pensativa. ¡Qué rara poesía brotaba de ese nombre que enmascaraba al auténtico! Y qué mujer seductora debía ser la que provocaba de tal modo la admiración de mis parientas y de Genoveva; la muchacha que vivía, rodeada de mozos adictos, en una antigua hacienda.

Me quedé fumando en el portón, cuando oí una voz baja:

—¿En qué piensas?

La Chacha había venido a reunírseme y me miraba con interés.

—En que tengo frío, Veva—repliqué, tomándola del brazo y llevándomela a la asistencia.

—No me engañas—dijo la Chacha.—Pensabas en ella.

—Has acertado—contesté.—¿Cómo no habías de acertar si en toda la tarde no han hablado ustedes sino de Pensativa?

—Vas a enamorarte locamente—dijo Veva.

—No creo que me agrade enamorarme locamente. Y por este día o mejor dicho, por esta noche, no me enamoraré, porque Pensativa no vendrá.

—Sí vendrá.

—Veva ¿no dices que la hacienda de Pensativa está al otro lado del río?

—En el Plan de los Tordos.

—Pues siendo así, no podrá venir mi presunta novia, porque le será imposible pasar el río.

—Nada detiene a Pensativa—dijo la Chacha.

—¿Tanto así?

—Y más, y más todavía. ¡Qué mujer admirable es Pensativa! Prometió venir y vendrá.

No pude bromear, poseído de un desasosiego que me quitaba la risa. Pensativa se me iba apareciendo como un ser fabuloso.

—Veva ¿Pensativa sabe que estoy en la Rumorosa?

—No lo sabe. O en fin, si acaso lo sabe, ignora nuestros planes para casarla contigo.

—Esa es una buena noticia. Por favor, sean discretas
5 ustedes tres y recuerden que no me dejaré° imponer una esposa.

Así terminó la conversación. La Chacha salió para ir a vigilar la cocina, a la que fuí a buscarla cuando sentí hambre.

—¿Que° ya quieres cenar?—exclamó Genoveva.—¿No
10 piensas esperar a Pensativa?

—No vendrá, Veva, no vendrá. ¡Oye qué diluvio está cayendo!

Como para desmentirme, sonaron fuertes aldabonazos en el portón.

15   -Ahí la tienes—exclamó la Chacha, llena de alegría, y corriendo con Fidel para abrir la puerta.

Los seguí sin prisa, conteniéndome y vi a dos jinetes entrar en el patio. Los viajeros se cubrían con anchos sombreros de palma y con mangas de hule. Cuando llegué a
20 ellos, ya habían desmontado.

—Ven para que te presente a Pensativa—dijo la Chacha.

Me acercaba más aún, para ver el rostro de aquella mujer, cuando un rayo cayó sobre la calzada e iluminó la Rumorosa con un chorro de fuego. Así vi por primera vez a Pensativa,
25 entre el estallido de las descargas eléctricas, como si la hubiese traído la misma tempestad.

3

AHORA COMPRENDÍA QUE SE LA LLAMARA
Pensativa. Se erguía ante mí sin orgullo pero sin calor y
la sentí lejana, como si yo no hubiera sido para ella otra
cosa que una viñeta. Mi amor propio se sintió herido, pero
fué dominado por la atracción invencible que emanaba de   5
Pensativa.

La ayudé a despojarse de la manga de hule y del sombrero
de palma y admiré su porte no perjudicado por su ropa de
montar masculina que le ceñía el talle y las piernas. Era
casi tan alta como yo, y muy ágil, como si la vida del campo 10
la hubiese desenvuelto, pero sin tocar a su porte aristocrá-
tico.

—Vengo llena de lodo, Genoveva—dijo. Su voz, su voz
de contralto, me estremeció el corazón. Me quedé estú-
pidamente en el corredor, fascinado por aquel acento que 15
aun oigo resonar, poseído de mil ansias secretas.

Genoveva se había llevado ya a Pensativa a la alcoba
de mi tía y yo continuaba bajo los arcos, insensible al
aguacero que sonaba junto a mí. El ruido de los caballos
golpeando con los cascos las baldosas me volvió a la realidad 20
y entonces pude inspeccionar al acompañante de Pensativa.

Ya había oído su nombre: Basilio. Y su semblante es
otro que jamás olvidaré. Basilio, fornido, plantado sobre

13

sus piernas curvadas por el hábito de montar a caballo, me miraba con recelo. Me repugnó desde el primer instante. ¡Qué fisonomía de bandido desalmado la suya, con aquella cicatriz feroz que le bajaba desde la frente hasta la boca!
5 Era la de una bestia salvaje aquella cara sombría, en la que llameaban los ojos bajo unas gruesas cejas, y los labios se apretaban con odio y rencor. La mano derecha de Basilio acariciaba mecánicamente la cacha de su pistola.

Me sentí inspeccionado, medido, amenazado y reaccioné
10 violentamente.

—Me mira usted mucho—dije secamente, deteniéndome junto a Basilio.

—¿Usted es el sobrino de doña Enedina?—me preguntó con voz ensordecida.

15 —¿Y quién es usted para preguntarme algo?—repliqué.

Sonrió ferozmente y me dió la espalda para marcharse con Fidel, que se llevaba los caballos. La lluvia iba disminuyendo. Yo, en el corredor, me admiré de la furia repentina que me había poseído y me juzgué un loco. Para
20 cambiar mis pensamientos me dirigí a la alcoba de mi tía, en la que encontré, junto al lecho, entre Jovita y Veva, a Pensativa, que dijo, acariciando las manos de la enferma:

—Duerma usted, señora. Yo voy a mudarme de ropa.

Salió con la Chacha y apenas la puerta se hubo cerrado
25 tras ellas, mi tía y Jovita quisieron saber si me había gustado Pensativa.

—¿Qué ropa se va a poner?—pregunté para retardar la respuesta.—¿Ropa tuya, Jovita? Va a parecer un espanto.

—Tiene ropa suya aquí—contestó Jovita.—Pero dinos si
30 te gusta.

—Es hermosa—contesté, queriendo ser sincero—pero es excesivamente seria. En lugar de Pensativa debiera llamarse Adusta. Y no me agradan las mujeres que hacen visitas en noche de aguacero, acompañadas de un mozo que tiene cara
35 de asesino.

Sin poderse dominar, Jovita me cubrió la boca con la mano. Yo me liberté con impaciencia.

—¿Qué te pica?—le pregunté sin ningún respeto.—¿No quieres que me oiga ese vaquero? Entonces ¿tengo razón en creerlo un criminal?

—No, no—respondió Jovita, queriendo aparentar.—Es que, pues . . . si te oye se ofende.

—Que° se ofenda o no, me importa un comino—respondí, saliendo de la alcoba.

Fumé un cigarrillo antes de dirigirme a la sala, cuyas luces veía ya encendidas y quise reflexionar para marcarme una conducta que me permitiera dominar la frialdad de Pensativa. Sin embargo, mis pensamientos se embrollaban de tal modo que me impacientaron. Me pregunté si me gustaba Pensativa y ni eso pude aclararme, a tal punto me hallaba trastornado.

Iba a entrar a la sala, cuando vi a Basilio, que se había recargado en una columna para fumar un puro. Volví a sentirme lleno de repugnancia, pero me dominé para entrar en la vieja sala de respeto.

Y apenas entré, comprendí que de antemano estaba vencido. Mi petulancia se esfumó. Pensativa era la misma mujer turbadora y extraña, lejana, que me había dominado en la alcoba de mi tía. Había substituído la ropa de montar por un vestido negro sin adornos. No lucía aretes ni collar y su única alhaja era una crucecita de oro prendida sobre el pecho.

Las luces de la sala, lejos de disminuir la belleza de Pensativa, la avivaban. Una suprema distinción surgía de aquella mujer, y me sentí arrebatado en una corriente de admiración.

—Me convenzo de que la quieren mucho—dije intentando ser ligero—al ver que han abierto la sala para recibirla. Yo sólo una vez he visto iluminada esta habitación y fué en mi infancia, cuando nos visitó el gobernador.

—No la han abierto por mí, sino por usted—replicó ella, tranquilamente.—A mí me han recibido siempre en la asistencia.

Me corté inesperadamente y luego me apresuré a decir:

5 —Yo le aseguraba a la Chacha que usted no vendría esta noche. Debe haber encontrado usted crecido el río.

—No, porque no ha llovido en la sierra—respondió Pensativa.—El río ha crecido más abajo de Santa Clara y el camino del Plan de los Tordos lo salva más arriba.

10 —¿Pero el lodo?

—El lodo no importa—continuó ella, sin jactancia.

—Yo no habría salido en una noche tan horrorosa—afirmé torpemente.

—Lo creo—replicó Pensativa, con un leve gesto de desdén.

15 —A los hombres de la ciudad les disgustan las incomodidades.

—No a mi niño—dijo la Chacha, que entraba llevando una bandeja con copitas.

Me irritó la adoración de mi antigua niñera y empecé

20 a sentirme nuevamente despechado y con ganas de agredir.

—Puede ser que en efecto a los hombres criados en la ciudad no nos gusten las incomodidades—acepté.—No sé si a usted le gusten, señorita, pero las mujeres rompen todas las reglas. Con frecuencia les agrada lo que a todo el mundo

25 contraría. Pero—añadí, pulsando a mi adversaria, deseando confusamente lastimarla un poco y al par ansiando expresarle mi irrefrenable admiración—tienen la ventaja de que no dejan de ser bellas, de que por el contrario, adquieren aún en los medios más hostiles, una segunda y fas-

30 cinadora belleza. No así los hombres, que nos volvemos salvajes y repulsivos. Vea usted a su criado.

—¿Mi criado?

—Basilio, el horroroso orangután que la escolta a usted.

—Basilio no es mi criado—aclaró Pensativa, sin alterarse.

35 —Es uno de mis mejores amigos.

Su tranquilidad me desconcertaba.

—¿Ese gañán?—pregunté.

—Es uno de los hombres más fieles y abnegados que yo haya conocido—continuó ella.—Daría su vida por mí.

—Eso no sólo él—dije galantemente. 5

—Basilio es un hombre valeroso, un ser con el cual muy pocos pueden compararse.

—Tu primo Cornelio lo quiere mucho—intervino rápidamente la Chacha, inquieta por nuestras palabras.

Estuve a punto de enojarme con ella, pero acabé agrade- 10 ciéndole su intervención.

—Y a propósito de Cornelio—exclamé, rindiéndome—su actitud me extraña. ¿Por qué no ha venido a la Rumorosa?

—Nunca baja de la sierra—dijo Jovita.—Vive en un ranchito en las Piedras Coloradas y no viene a Santa Clara 15 ni por el señor Arzobispo.

—¿Ni porque su única tía se esté muriendo o porque su primo Roberto haya llegado de México?—insistí, feliz de encontrar un punto por el cual escaparme.

—Ni por eso, Roberto—me dijo Genoveva.—Tu primo es 20 un oso . . . ¿Cómo les dices a los que viven sin querer ver a la gente?

—Yo les digo locos—repliqué, con maligna intención.

—Cornelio es un hombre admirable—dijo Pensativa.

—¿Otro hombre admirable? No lo elogie usted, señorita, 25 porque creeré que Cornelio ha terminado por semejarse a Basilio.

—Los dos fueron cristeros—me respondió Pensativa.

Y su respuesta me aturdió.

—¿Cómo?—exclamé.—¿Cornelio fué cristero? 30

—Fué de los más ardientes y tuvo a sus órdenes a Basilio. Por eso no baja de la sierra. Pertenece al número de los que se digustaron con el clero cuando éste firmó la paz° con el gobierno y vive como un ermitaño en un lugar al que usted no irá nunca porque el camino es muy incómodo. 35

—Por eso y porque nada tengo que ver con Cornelio desde este momento—afirmé.—Detesto a los cristeros—concluí, entre la consternación de Jovita y de Veva.

—Yo no puedo detestarlos—dijo Pensativa, sin conmoverse—porque mi hermano luchó al lado de ellos.

—¡Oh! perdón—rogué, apesarado.—Créame: he hablado por hablar.

—Hay hombres que hablan por hablar—asintió ella, con un desprecio que me heló.—Hombres cuya sangre es agua. Por fortuna en esta comarca abundan los valientes que lo dejaron todo por defender su fe. Cornelio luchó heroicamente y es un milagro el que aún viva.

—¿Basilio recibió su herida en esa lucha?—pregunté servilmente.

—Sí, en ella la recibió. Basilio es valiente° como el que más. Para mí es un héroe, aunque para usted debe ser un bandido.

—Nunca me he preocupado de juzgar a los cristeros ni a sus enemigos—dije con tono conciliador, y respiré sólo cuando la Chacha nos invitó a pasar al comedor y estaba tan amilanado que no pude protestar cuando Basilio entró y se sentó con nosotros a la mesa.

Apenas si hablamos durante la cena. Mi prima y Genoveva estaban inquietas y yo me sentía dividido entre el placer de contemplar a Pensativa y la cólera de ver ante mí la horrorosa cara de Basilio.

Cuando la cena concluyó, no pensamos en hacer tertulia, a pesar de la Chacha, que se desolaba de ver enemistados a los que ella había soñado unir. Me encerré en mi cuarto tan pronto como pude y fumé un cigarro, de pie junto a la ventana enrejada. La noche era fría; el campo estaba envuelto en tinieblas, pero sobre la sierra se sucedían los relámpagos.

Me sentí triste, cansado, vencido. Pensativa me había humillado, había desdeñado mi trato y mis intentos cordiales. ¿Qué mujer era pues ésa, que sabía golpear tan fuertemente y que sin embargo, sí, sin embargo de su fuerza, no lograba hacerse° odiar? Me aplastaba, me desdeñaba, pero no conseguía que yo la odiara. Y no me cabía duda sobre lo profundo de su desprecio para mí; me creía de alfeñique, un figurín que no era digno de compararse con el orangután que la escoltaba entre la tormenta.

Ella había sufrido cruelmente. Estaba arruinada, su hermano había muerto ahorcado y ella tenía que habitar en una hacienda perdida en una tierra regada de sangre. ¿No era natural que me desdeñara, a mí que había vivido sin agitaciones ni sobresaltos, sin pasiones? Tenía razón en ser altiva y en desafiarme y bien podía perdonársele el que prefiriera la compañía de un salvaje que había militado a las órdenes de su hermano y que compartía con ella una vida de asperezas.

Me sorprendí al encontrarme disculpando a Pensativa y me pregunté si ella me gustaba y si yo me iba enamorando. Nunca me ha agradado engañarme y por eso mi examen de conciencia fué tan sincero. Yo no amaba todavía a Pensativa, me dije, pero ella me gustaba de un modo peligroso. El deseo de brillar ante sus ojos, de rehabilitarme, que iba creciendo en mí, era un impulso que podía llevarme a una pasión tanto más amenazadora cuanto que aparentemente no sería correspondida.

—Lo mejor es—decidí—evitar encontrarme con Pensativa. Y cuando esto no sea posible, debo dominarme y dejar correr las cosas sin querer exhibirme.

Me sentí tan satisfecho de esta resolución, que creí haberme librado dé apretados lazos. Mientras paseaba por mi cuarto pensé en que la ciudad dota al hombre de una gran sabiduría y que esta sabiduría iba a impedirme ser víctima de las fantasías de las mujeres de la Rumorosa y a precaverme de caer en la esclavitud de una mujer en verdad sin nombre, hermana de un ahorcado y que vivía rodeada y protegida por una banda de forajidos.

AL ACOSTARME CREÍA EN MI FUERZA, PERO
mis sueños, en los que Pensativa se presentó sin cesar,
pudieron convencerme de que mi fuerza era la misma de la
celada° de don Quijote y de que era mejor no probarla.
5 Al despertar, lo primero que deseé fué ver a Pensativa y
apreciar su belleza a la luz del sol.

Cuando salí al patio lo vi rebosante de niebla. La primera
figura que encontré fué la de Basilio; el bandido fumaba
junto a una puerta, que sería la de su ama y me miró sin
10 saludarme. Pasé de largo, pero no dejé de sentir en mi
espalda la mirada de Basilio. Dudé en si buscarle pendencia, aunque por suerte la serenidad que me había dado la
mañana venció a mis impulsos. En el cuarto de mi tía me
topé con la Chacha, que me tomó las manos con ansiedad.

15 —¿Qué has pensado?—me interrogó.

—Veva—le dije, procurando ser amable—debes renunciar
a tus sueños.' Pensativa me disgusta y yo le resulto insoportable a ella.

—No, no renunciaré a nada—dijo la Chacha.—Todo se
20 arreglará.

Mi tía y Jovita tampoco quisieron aceptar mi fracaso y
les di la razón cuando al salir al corredor vi a Pensativa,
que se dirigía a dar los buenos días a la enferma. Parecía

fatigada pero, si era posible, resaltaba aún más su hermosura que en la noche. Me saludó con su seria amabilidad y me dejó lleno de dudas y de inquietudes.

Al correr la mañana recibimos la visita del párroco y del médico. Yo no conocía al párroco, pero conversé con el doctor, el que después de reconocer a mi tía me llevó a mi cuarto y sentándose frente a mí me intimó:

—Desembucha.

—¿Qué quiere usted saber, doctor?--pregunté receloso.

—Conmigo no andes con misterios—dijo el viejo doctor. —Te conozco desde que naciste y no vas a querer ocultarme nada. Tu tía, tu prima, el cura, Genoveva y yo, queremos casarte con Pensativa. Tú la has visto y puedes decirme si te agrada.

Le confié lealmente mis impresiones y le referí los incidentes de la noche pasada.

—Como usted ve—concluí—Pensativa me gusta más de lo que yo hubiera esperado. Me gusta hasta desconcertarme como a un mozalbete; me domina y me aplasta. En cambio, ella me desprecia tanto que veo claramente que no debo alentar esperanzas.

El médico se rascó las mejillas y reflexionó.

—Debes tener confianza en mis palabras—acabó por decir.—Yo quiero tu felicidad y creo que la encontrarás con Pensativa. Sólo que debes hacerte a la idea de que con ella el éxito no será fácil. Pensativa ha sufrido y sufre. Hay una tragedia espantosa en su vida.

—Sí, ya lo sé—lo interrumpí.—La muerte de su hermano.

—La muerte de su hermano—asintió el doctor, lentamente.—Y algo más que tú sabrás después. Esos dolores la atormentan, pero es un alma generosa, exquisita, fuerte, que necesita una ayuda como sólo puede dársela un marido. Necesita amar y ser amada, para curarse.

—Ya está usted hablando como médico—observé, queriendo impedir más confidencias.

—Déjame hablar—me exigió el doctor y le agradecí que
se me impusiera.—Tú puedes hacer feliz a Pensativa y ella,
en retorno, puede hacer tu felicidad. No te desanimes,
muchacho. Vale cualquier trabajo la conquista de un
5 corazón como el de Pensativa. Arriésgate. No sé si una
vida mediocre, sin dolores vivos ni vivas alegrías, sea agradable, pero siempre preferiré una vida apasionada. Lucha.
Si Pensativa te desprecia hoy, mañana te admirará. Su
desprecio no pasa de ser un prejuicio que se disipará ante
10 la realidad.

—Bien—acepté con placer.—¿Pero qué debo hacer con
Basilio? Ese animal me odia y yo acabaré por odiarlo.

—¿Basilio? ¿Te ha molestado?

—Me molesta en grado máximo.

15 —Conquístate a Pensativa y te conquistarás a Basilio—
respondió el doctor.—Ese infeliz adora a su ama. Si no te
quiere es porque naturalmente desconfía de todos cuantos
se acercan a ella. Ahora un último encargo: no hables de
los cristeros.

20 —Anoche supe cosas estupendas de Cornelio—dije.

—No hables de él ni de sus amigos. Podría costarte caro.
Esta zona produjo los cristeros a millares y aun hoy el
pueblo está profundamente dividido. ¡Lo que vi en esa
época, muchacho! No sé cómo puede haber gente que
25 desee jamás la guerra civil. Nada hay más atroz que una
lucha como la que tuvimos aquí, en la que las familias
luchaban entre sí. Ten pues mucha prudencia. Los antiguos cristeros del pueblo son los hombres más orgullosos
del mundo . . . y los más vengativos.

30 Me dió una palmada en el hombro y salió de mi cuarto
para tomar su volanta y regresar con el párroco a Santa
Clara. Yo medité a solas sus palabras. No compartía su
interés por una vida apasionada y me dije que lo mejor de
aquella aventura era no intentarla. ¿Qué necesidad tenía
35 de verme entre furiosos y rencorosos, de hacer el amor a

una mujer dolorida e insociable? No, resueltamente no trataría de conquistar a Pensativa.

En la comida hablé únicamente lo indispensable. En ella me enteré de que Pensativa y su acompañante regresarían esa misma tarde al Plan de los Tordos y resolví evitar la despedida marchándome de paseo. Monté a caballo y saliendo a la deshilada, escoltado por Fidel, partí al azar. Pero ¿quién puede entender el corazón humano? A despecho de mi decisión, preferí el camino que Pensativa tenía que recorrer para dirigirse a su hacienda. Me disculpé ante mí mismo alegando que lo que yo deseaba era ver el río, pero no quise discutir para no convencerme de doblez. Tomé resuelta pero lentamente el camino del río, seguido siempre por Fidel.

Caminábamos tan despacio que un kilómetro antes de llegar al río fuimos alcanzados por dos jinetes. No tuve necesidad de verlos para saber quiénes eran. Me descubrí y saludé a Pensativa.

—¿De regreso?—dije, intentando ser estrictamente político.

—Sí, de regreso—respondió ella.—Me alegro de encontrarlo antes de dejar estos lugares.

—Sabía que usted pasaría por aquí y por eso es que cometí la desatención de alejarme de la Rumorosa. ¿Me permite que la acompañe en el camino?

Ocultó su sorpresa y su disgusto y con una inclinación de cabeza me permitió acompañarla. Arrojé sobre Basilio una sola mirada, de amo a criado, que lo enfureció y puse mi caballo junto al de Pensativa.

—Ahora sí habrá creciente—dije, mostrando la sierra y su nublado.

—Llegaremos al vado antes que ella—replicó Pensativa, sin apresurar el paso de su montura.

—Tengo ganas de ver una creciente—exclamé, sintiéndome muy alegre al ir junto a Pensativa, al escuchar a los caballos golpear los charcos, al respirar el aroma de la llanura empapada.—Y ésta será imponente, porque como sólo en las montañas está lloviendo, vendrá de un golpe.

Sin hacer caso del silencio de Pensativa continué hablan-
5 do, cantando mi amor a la tierra natal, al campo libre y a su vida robusta y yo era el primero—y quizá el único—en creer en ese repentino amor. De este modo alcanzamos las márgenes del río. Los caballos mostraron una súbita nerviosidad en aquel sitio desolado. La corriente pasaba
10 ante nosotros, sucia, lenta, aumentada ya por los arroyos, invadiendo con un murmullo sordo los bancos de arena.

—Mi amo—me dijo Fidel—¿va usted a pasar el río?

—Sí.

—Pues si llega la creciente no podrá usted regresar a la
15 Rumorosa.

—Vuélvete tú—le ordené—y avisa a mi tía que me he ido acompañando a la señorita Infante hasta su hacienda.

—No es preciso que se moleste—dijo ella, secamente.—
20 Basilio basta para escoltarme.

—¿Me prohibirá usted el placer de acompañarla?—pregunté con osadía.—Pensaré que soy muy desagradable.

—La señorita va bien conmigo—exclamó Basilio, amenazador.—Regrésese.

25 —No tomo órdenes de los mozos—repliqué, volviendo a insultarlo con la mirada.—Señorita, si mi compañía la molesta, regresaré a la Rumorosa. Pero quiero que sea usted quien me lo diga.

—No, no es que me molesta—dijo ella cohibida—sino que
30 la hacienda le parecerá . . .

—Puesto que no la molesto—resolví, sin dejarla terminar —la acompañaré. Fidel, vuélvete a la Rumorosa.

Fidel se despidió e hizo volver grupas a su caballo. Mientras él rehacía el camino, nosotros atravesamos diago-
35 nalmente el vado, rompiendo las aguas que se iban irritando

gradualmente. El trueno resonaba con más brío y los ca
ballos se estremecían ante el peligro.

Cuando llegamos a la otra ribera ocurrió un accidente que
me regocijó y fué que se rompió la cincha del caballo de
Basilio.

El bribón bajó a tierra con mayor velocidad de la que
le hubiera gustado, pero no dijo nada y se puso a componer
la cincha.

—¿Seguimos nosotros el camino?—le pregunté a Pensativa.

—Es mejor que esperemos a que Basilio componga la
cincha. Así podrá usted ver la creciente.

Yo estaba demasiado contento para aclarar que la creciente me importaba un rábano y seguí lentamente la
marcha al lado de Pensativa, que caminaba con la cabeza
baja. Cuando íbamos a alcanzar el extremo de la cuesta,
un muchachito indio, que subía a pie, se interpuso en el
paso del caballo de Pensativa y recibió un golpe que lo
derribó.

—Tonto—le dijo Pensativa, deteniéndose.—¿Te has hecho
daño? ¿Es que no ves por dónde caminas?

—En efecto, no ve—dije saltando de mi caballo.—Es
ciego.

Me incliné y levanté al chiquillo. No había sufrido daño.
Lo sacudí, le puse en las manos la vara que le servía para
guiarse en sus tinieblas y le di una moneda. El reía torpemente y se alejó con lentitud. En ese instante me dije
que era raro que Pensativa no hubiese bajado para ayudarme
y extrañado de tanta insensibilidad volteé para verla.

Lo que vi me colmó de admiración. Basilio había soltado
su caballo y estaba junto a su ama, frotándole las manos con
una angustia impresionante. Pensativa estaba lívida. Había
cerrado los ojos y se mantenía con esfuerzo sobre la silla.

—¡Estúpido!—rugió Basilio.—¿Por qué le dijo que ese
muchachito era ciego?

No quise responderle, maravillado del incidente. Si Pensativa se hubiese desmayado, Basilio me hubiera agredido y esa seguridad me hizo preparar los puños. Por fortuna, Pensativa se repuso. No me vió ni me habló.

—Arregla tu silla—le ordenó secamente a su caporal.

5   Yo iba a disculparme, a punto fijo no sabía de qué, cuando oí un rumor que hizo levantar las orejas a los caballos. Era un zumbido que venía de las montañas y que dominaba el estampido de los truenos.

—La creciente—exclamé.

10   —La creciente—repitió Pensativa, ensimismada.

Su rostro seguía mortalmente pálido. No supe qué decir y llevando a mi caballo por la rienda busqué un sitio desde el cual ver acercarse la creciente. Nada se veía en el río, pero todo se agitaba en una espera angustiosa. Mi caballo se es-

15   tremecía. Las hojas de los álamos se habían puesto a temblar y un coyote huyó con ligereza entre los matorrales.

Un grito me hizo saltar. Era Basilio el que clamaba:

—¡Corra, corra! ¡Sálvela!

Volví los ojos hacia lo bajo de la cuesta y vi a Pensativa

20   en el fondo del cauce, en el que con mano firme dominaba a su caballo y esperaba la creciente.

5

NO RECUERDO CUÁLES FUERON MIS PENSA-
mientos en ese instante y ni siquiera estoy seguro de haber
pensado algo. Basilio corría cuesta abajo. De un salto
monté en mi caballo y le hundí las espuelas. Llegué junto
a Pensativa, cuyo caballo saltaba, asustado, entre la corriente   5
ya más rápida.

—¡Venga!—grité, queriendo coger las riendas.

El trueno de la creciente aplastaba mi voz, pero Pensativa vió mi ademán y alzando la mano me dió un fustazo.
Aquello me enfureció. Me lancé sobre Pensativa, la tomé   10
por la cintura y espoleando mi caballo huí con ella hacia la
ribera por la que Basilio corría como loco.

Aquél fué un minuto de agonía. El caballo se destrozaba
en su loca carrera ascendente. Oí un cañonazo y la cresta
de la ola nos alcanzó, haciendo trastabillar a la montura.   15
Pero ya estábamos bien alto y el agua no pudo derribarnos
Un último esfuerzo nos puso en tierra seca.

Deposité a Pensativa en el suelo, sin soltarla y desmonté
para sostenerla, imaginando que iba a desmayarse. Ella
estaba serena y buscaba a Basilio con la mirada.   20

—¿Qué° le dió por suicidarse?—le pregunté, con voz aún
destemplada.

—¿Dónde está Basilio?—me interrogó ella.

27

—No sé ni me importa saberlo—repliqué.—Ojalá se haya ahogado.

Mi deseo no se cumplió, porque en ese momento apareció Basilio, al que el empuje del agua había hecho rodar entre
5 las rocas. Sólo un salvaje como él podía salvarse de aquel mortal abrazo. Se presentó ensangrentado, cubierto de lodo, pero no dudó un instante y corrió a arrodillarse ante Pensativa, cuyas botas besó. Ella le puso una mano sobre la boca y le dijo:
10 —De esto, ni una palabra.

—Sí, sí—obedeció él, mirándola con adoración. Después, antes de que yo lo hubiese podido impedir, cogió mi mano y me la besó ardientemente.

—Suélteme—le dije, impaciente.—No me gusta que me
15 besen la mano.

El no se dió por ofendido.

—Gracias—me dijo, yendo a buscar el caballo de Pensativa, que desembarazado de su jinete había huído con más ligereza que el mío.
20 Aproveché el momento en que quedé solo con Pensativa, para interrogarla:

—¿Por qué hizo esa locura, Pensativa?

Era la primera vez que la llamaba así y sentí mi boca llena de dulzura. Pensativa tardó en contestar. Miraba ante
25 nosotros pasar la crecida, que atronaba atacando las riberas y jugando con los árboles que se había robado en la cordillera. Nuevos estampidos se aproximaban y el cauce hervía de un agua amarilla que subía sin cesar. La obscuridad se iniciaba en la llanura, cuyos árboles se borraban.
30 —Va a llover—dijo Pensativa, mirando las nubes que volaban muy bajo.

—Dígame—insistí—¿por qué hizo esa locura?

—Quise ver si mi caballo resistía la creciente—me respondió, y echó a andar sin preocuparse de ver el efecto que
35 hacía en mí su respuesta.

Renuncié a averiguar la verdad, pero indudablemente
Pensativa se sintió obligada a justificarse, porque a los cuantos pasos se dejó alcanzar.

—El caballo se asustó y echó a correr—me dijo.—Y ...

—¿Y?   5

—Y estoy arrepentida de haberle dado a usted el fustazo,
pero el miedo me había enloquecido.

—Déme fustazos siempre que quiera—exclamé.

Pensativa apresuró el paso y me avergoncé de mi falta de
decoro. Para hacerla olvidar iba a ofrecer mi caballo, cuando 10
Basilio se presentó con el de Pensativa.

—Dense prisa—dijo, viendo que empezaba a llover y ayu-
dando a Pensativa a ponerse su manga de hule.

Yo tuve el estribo para que ella montara y después de
haberme resguardado con mi capa monté mi caballo y lo   15
dirigí tras el de Pensativa. Basilio se quedó atrás, pero no
tardó en alcanzarnos montando en pelo y llevando la silla
sobre la cabeza.

La lluvia se transformó en aguacero y aliada con el crepúsculo borró el paisaje.   20

Por fin vimos una luz parpadeante. Una descarga eléc-
trica iluminó un edificio viejo y bajo; era la hacienda. Al
acercarnos a la casa, los perros acudieron ladrando, y un muchacho corrió a nuestro encuentro llevando una linterna.

No pude negar, penetrando en el patio del Plan de los   25
Tordos y aspirando el olor de ruina que exhalaba la cons-
trucción, que era bien triste la morada de Pensativa. Adiviné, más que vi, habitaciones sin techo y por todas partes
el abandono y la miseria. La gente que nos rodeó no estaba
mejor que el caserón.   30

Había una docena de hombres, casi todos inválidos, y tres
mujeres que contenían a unos arrapiezos que pugnaban por
acercarse a besar la mano de Pensativa. El grupo nos saludó
en coro:

—Ave° María Purísima!   35

Se me olvidó responder, asombrado de tanta miseria. La realidad superaba mis previsiones. Pensativa comprendió mis sentimientos y me dijo con una malicia que le alegró el semblante:

5 —No olvidará usted la bella noche en el Plan de los Tordos.

—¿Por qué no había de parecerme bella una noche pasada en su hacienda?—pregunté.

Ella no respondió y desmontando me guió a la que en
10 otros tiempos debió ser la asistencia.

—Esta es la única pieza de recibo en la hacienda—me advirtió—y se encuentra en la única ala habitable del edificio. Aquí le pondrán un catre de campaña con el que tendrá que conformarse.

15 —Puedo dormir en el piso—repliqué.

—No es necesario tanto sacrificio. Y ahora voy a ver que preparen la cena, que será, como toda la casa, pobrísima.

Su amabilidad, tan nueva para mí, me conmovió y lamenté verla salir de aquella habitación simplemente enca-
20 lada, iluminada por la linterna de petróleo que uno de los mozos había depositado sobre una mesita. En la pared, había una fotografía encerrada en un marco de plata vieja. Representaba a un hombre de veinticinco años, de nariz fina, de frente despejada. No cabía duda: aquel retrato era
25 el del hermano de Pensativa. Lo probaban la mirada melancólica, la expresión toda, concentrada, penetrada de un ensueño y casi de una desilusión.

—Es mi hermano—oí que me decían.

Volteé y me encontré con Pensativa, que se había cam-
30 biado de ropa y que parecía haberse puesto el mismo vestido con el que la había visto en la Rumorosa, a tal punto el corte, el color y la ausencia de adornos eran idénticos. No parecía recordar la escena del río, pero yo no podía olvidarla.

¿Por qué se había querido suicidar Pensativa? ¿Y por qué
35 se había impresionado tanto al encontrar al ciego? ¿Y por

qué vivía en aquel páramo, rodeada de inválidos? ¿Y? . . .
Pero nada pregunté, sugestionado por la belleza de Pensativa, más arrebatadora que nunca a la luz de la linterna y en la devastación de su morada.

Porque yo, ahora, ya no dudaba. No había sido un impulso heroico el que me había hecho desafiar a la creciente para rescatar a Pensativa, sino el miedo a perder algo de que ya no podía prescindir. Todo contribuía a rodear a Pensativa de una aureola hechizada: su hermosura y su aislamiento, su melancolía, su casa desmantelada, su altiva pobreza, sus servidores salvajes y miserables. Mi mirada en aquel instante fué tan expresiva, que Pensativa pudo leer en ella todas mis ideas.

—Dentro de un minuto estará la cena—me anunció, para cortar el silencio.—Naturalmente sólo habrá carne asada, queso y café con leche.

—Eso será un festín para el apetito que traigo—exclamé alegremente.—¿Me permite usted fumar?

Sobre su asentimiento encendí un cigarrillo. Basilio entró con un plato en el que había un vasito y una botella.

—Para el frío queda bien el tequila—me dijo, ofreciéndome lleno el vasito.

—¿Usted no bebe?—le pregunté a Pensativa.

Ella negó con la cabeza y yo bebí aquel líquido que me comunicó un calor muy agradable. Cuando Basilio salió, Pensativa se sentó en la mecedora y me dijo, tras invitarme a acomodarme en una de las sillas:

—Veo que ya se conquistó usted a Basilio. Ahora puede usted hacer con él lo que quiera.

—Créame que eso me da gusto—repliqué con verdadero contento.—Basilio me era odioso mientras me mostraba malquerencia, pero ahora que sé que ya me estima, me tendrá de amigo. Creo que es un buen hombre.

—Quizá no sea precisamente un buen hombre—respondió Pensativa, con una sonrisa que me permitió apreciar el cambio que nuestras respectivas situaciones habían experimentado en veinticuatro horas.—Todo está en cómo se le juzgue.

—La adora a usted—dije.

5 —Sí, me adora. Es fiel como un perro. Fué el asistente de mi hermano, que le tenía mucho aprecio por el soberbio valor que Basilio demostró en todos los trances. Cuando mi hermano murió, Basilio hizo todo lo posible por vengarlo.

—¿Y lo consiguió?

10 —Fué muy útil para conseguir la venganza . . . y la presenció—contestó Pensativa, hablando sin prisa.—Ninguno odió más que él al desdichado que traicionó ∴ Carlos.

—Luego pues ¿hubo una traición?

—Una traición abominable—dijo Pensativa, palideciendo.

15 —Los enemigos encontraron un infeliz que consintió en ser el Iscariote . . . Pero eso ya pasó . . . ¿Es que usted no conoce esa historia?—preguntó, clavando en mí sus ojos, en los que se traslucía una sospecha.

—En absoluto—aseguré.

20 —Es mejor. Dichosos los que nada tuvieron que ver con esa guerra.

—Basilio recogió en ella un recuerdo inolvidable—dije, aludiendo a la cicatriz del mozo.

—Se lo ganó cuando quiso salvar a mi hermano. Por eso
25 participó con más ganas en la venganza.

—¿Quiénes fueron los vengadores?—pregunté, sin pensarlo.

—Los hombres a los que vió usted en el patio—dijo ella, tranquilamente.—Esa es la causa de que estén conmigo.
30 Cuando terminó la guerra y me vine a esta hacienda, quise conocer a la gente que había servido a las órdenes de mi hermano y recogí a mi lado a los que no podían trabajar fácilmente, a los mutilados y a los que fuera de aquí tropezarían con enemigos implacables.

35 Hablaba lentamente, como dominada por una idea fija y

ambos sentimos un raro alivio cuando vinieron a anunciarnos la cena.

El comedor del Plan de los Tordos era la misma cocina. En el centro de aquel aposento enorme, había una larga mesa sin mantel, formada por dos tablones puestos sobre sólidas tijeras. En la cabecera había una sola silla y ya Pensativa daba orden de que trajeran para mí una de la asistencia, cuando yo me negué y me acomodé en una de las tablas que soportadas por cajones vacíos servían de asiento a los mozos.

Mi plato estaba puesto sobre una vieja servilleta adamascada, rota en varios lugares, pero observando que Pensativa no disfrutaba de igual lujo, retiré la servilleta.

—¿Por qué estas finuras conmigo?—pregunté.—Lo que me gustaría sería otro vasito de tequila.

Vi en el semblante de Basilio pasar como un aletazo de satisfacción al oír mis palabras. Bebí a la salud de Pensativa y comencé a comer o más bien a devorar.

Ahora que sabía que los mozos habían sido viejos soldados del hermano de Pensativa, y sus vengadores, no me extrañaba verlos comer en la misma mesa que su ama. De ellos, el que no era cojo era manco y el° que no, tuerto. Tenían rostros fieros, resueltos, que no me hubiera gustado. ver de noche en la revuelta de un camino. Entre todos sólo uno mostraba un semblante plácido y era el muchacho que había salido a encontrarnos con una linterna cuando llegamos a la hacienda. Se llamaba Esteban y era jovial y despejado. Me examinaba con más franca curiosidad que los demás y me propuse interrogarlo para saber algo de lo que me intrigaba en el género de vida que se hacía en el Plan de los Tordos.

Al concluir la cena me sobrevino un irresistible sueño. La penumbra de la cocina, las emociones de la tarde, la fatiga del camino, me abrumaban. Por eso, cuando Pensativa me hizo saber que mi catre había sido instalado, me

despedí sin vacilar y volví a la asistencia. Me acosté vestido,
pero antes de dormirme no pude menos de reflexionar en
lo° que había de singular en aquella hacienda ruinosa, en
la que una mujer de fina raza, de costumbres civilizadas,
5 vivía rodeada de hombres a los que por largo tiempo se
mantuvo fuera de la ley, a los que se hubiera ahorcado sin
trámites apenas seis años antes. Finalmente, el rumoreo
de la lluvia sobre el techo me arrulló y me hundí en un
profundo sueño.

6

EN LA MADRUGADA ME DESPERTARON LAS VO-
ces de los mozos en el patio. Me levanté y por la alta
ventana enrejada aventuré una mirada sobre el campo, pero
apenas vi otra cosa que la niebla flotando sobre los pastos.
Entonces salí al patio.

La presencia de Pensativa me resultó más agradable que
nunca en aquel recinto desolado, como si ella hubiese
sido la vida misma, la encarnación y la esperanza de una
existencia menos primitiva que la albergada por el caserón. Pensativa me saludó con una de sus graves sonrisas,
y se informó de si no había pasado una noche demasiado
mala.

En el almuerzo vi menos lúgubre la cocina, pero encontré la mesa menos rodeada de gente, pues algunos de los
mozos habían salido para vigilar el ganado. Las tres mujeres
que hacían el servicio se desvivían por atenderme y comprendí que Basilio había dejado transparentar algo del peligro corrido por Pensativa y de mi galopada ante la crecida.
Con gran sorpresa mía, descubrí que ellas también osten-
taban algunas señales de la guerra. Mariana, la más vieja,
había sufrido la amputación de la mano izquierda; Lucía, la
más joven, mostraba en la frente un trazo que sospeché
había sido dejado por una bala.

—¿Es que ellas también anduvieron en los combates?— le pregunté a Pensativa.

—Ellas también—repuso Pensativa, acercando a sus labios la taza de café con leche.

5 —¡Vaya con el sexo débil!

—¿No sabía usted que en la guerra religiosa las mujeres participamos tanto como los hombres?—me preguntó, mirándome fijamente.

—Algo había oído decir, pero no había puesto en ello 10 mucha atención.

—¿Usted no ha oído hablar de la Generala, pues?

—¿La Generala?—pregunté.—¿Hubo una Generala?

—Hubo una mujer—asintió Pensativa—que no será olvidada en mucho tiempo por cuantos conocieron los horrores 15 de esa guerra. Nadie supo su nombre. Se la llamaba la Generala y fué la única que supo reunir a los indisciplinados caudillos. En esta zona no fué conocida, pues operó siempre en Jalisco y en Colima. Jalisco era su tierra.

—Debe haber sido muy hermosa—dije—porque para mu-20 jeres hermosas, Jalisco.

—Yo sé que era muy fea—exclamó Pensativa, riendo por primera vez desde que la conocía.—¿No es verdad, Basilio?

—Muy fea, claro—replicó Basilio, poniendo en mí sus ojos feroces.

25 —¿Usted la vió con frecuencia?

—Sí, sobre todo cuando con el hermano de la señorita fuimos al ataque de Manzanillo.

—¿Hasta Manzanillo fué usted?—le pregunté.

—Mi hermano—intervino Pensativa—supo organizar a su 30 gente y obedeció con ella las órdenes de la Generala. Por eso su tropa participó en acciones reñidas en puntos muy distantes unos de otros.

—¿Y no se enamoró usted de la Generala?—le pregunté a Basilio.

35 El puso una cara de asombro.

—¡Pobre Basilio!—exclamó Pensativa.—Dicen que esa mujer era una bestia feroz. Fué implacable y es una fortuna que haya muerto.

—Pero no en esa forma—protestó Basilio, sin mucho calor en sus palabras. Y me informó con una complacencia 5 que me desconcertó:—La Generala aceptó la amnistía° que consiguieron los señores obispos y cuando estaba muy quitada de la pena en Zapotlán, los del gobierno entraron a la casa y la acribillaron.

Me noté perplejo, molesto y me dije que resueltamente 10 el ambiente del Plan de los Tordos, en el que no era posible ver sino ruinas y oír sino salvajadas, no era agradable. Sólo Pensativa sabía conservar su gracia melancólica y la admiré en su sacrificio. Ella comprendió mis pensamientos y levantándose sin violencia terminó la conversación. 15

Decidí partir a media mañana y mientras llegaba la hora de la marcha acompañé a Pensativa a visitar la hacienda. Todo estaba devastado, inclusive la huerta, cuyos frutales habían casi desaparecido.

Esteban se acercó para avisarme que era tiempo de em- 20 prender el viaje de regreso si no quería ser alcanzado por la lluvia. Me despedí de Pensativa con un pesar que fué la medida de mis sentimientos. Antes de montar a caballo, solicité la autorización para visitar de nuevo el Plan de los Tordos. 25

—¿Qué distracción podría usted encontrar aquí?—me preguntó ella.

—Yo sé qué distracción encontraría—repliqué.—Autoríceme a volver.

—Estaba en la creencia de que usted pensaba regresar 30 pronto a México.

—Yo también estaba en esa creencia—contesté—pero ahora no sé cuándo me iré. Ni siquiera sé si me iré. No rehuya mi pregunta: ¿puedo volver al Plan de los Tordos?

—Vuelva siempre que lo desee—concedió.—Siempre será 35

bien recibido. Y quiero hacerle una súplica—agregó, vacilante—me gustaría que en la Rumorosa no se supiera nada de . . . de la creciente.

—Por mí no se sabrá nada—exclamé con calor.

5   Ella me tendió la mano, que estuve a punto de besar. Estreché después la de Basilio, quien me informó que Esteban me acompañaría para enseñarme el camino.

—Tiene usted que bajar hasta el vado del Coyote—me avisó—porque el río sigue crecido.

10   Me despedí con un ademán de las mujeres y de los mozos, que se habían congregado ante el portón y salí con Esteban. Pronto estuvimos lejos de la finca. Desde un repecho volví la mirada y abarqué con tristeza el edificio que se arruinaba en el fondo del paisaje y en el que yo dejaba ya
15   algo de mí mismo. Me habría gustado ver agitarse un pañuelo blanco, descubrir ante el portón una figura cuya gracia me deslumbraba, pero sólo vi la fachada torva sobre la que pasaba la sombra de las nubes.

Al reemprender la marcha, le ofrecí un cigarro a Esteban,
20   que lo recibió con placer.

—¿No se fastidian ustedes en la hacienda?—le pregunté al recordar mis propósitos de sondearlo.

—No nos fastidiamos ni tantito—aseguró él, con su clara risa.—Antes, sí, de recién llegados.

25   —La encontraron demasiado fea ¿no?

—La encontramos demasiado tranquila. Estábamos acostumbrados a la lucha, a los sobresaltos, a no saber si al otro día amaneceríamos con vida.

—¿Tú también anduviste con el hermano de la señorita?

30   —Más bien anduve con la Generala.

—¡Ah! ¿con la Generala? ¿Te gustaba que te mandara una mujer?

Mi pregunta le hizo mucha gracia.

—La Generala sabía mandar mejor que los hombres—
35   me dijo riendo.—La hubiera° usted visto en los combates.

¡Qué valientísima era! Nadie quería desobedecerla y era la primera que le entraba a los tiros. Cuando veía que empezábamos a sentir corvas, agarraba la bandera y gritaba: ¡síganme los hombres! Y se echaba entre los enemigos, que la veían y se ponían a temblar.

—¿Te gustan las mujeres que saben matar?

Esteban puso en mí sus ojos llenos del candor de una fe inconmovible.

—La Generala todo lo que hacía lo hacía bien. Pero sepa usted que ella no mataba. Nada más traía un bastoncito con puño de oro y con él nos mostraba dónde habíamos de atacar. Yo quisiera verla otra vez peleando. Pasaba a caballo como un ángel glorioso y nos sentíamos con ganas de morir y de matar. Y nadie le faltó nunca al respeto, ni siquiera los jefes más barbones y eso que la Generala era linda como una rosa.

—¿Cómo? ¿Era bonita? Pues yo sabía que era espantosa.

—¿Quién se lo dijo?—me preguntó, inquieto.

—En México lo supe—mentí.

—¿No se lo dijeron a usted en la hacienda?—inquirió, preocupado.

—Donde me lo hayan dicho—exclamé—¿qué tiene eso de importante?

No dió señales de quedar convencido y se puso cabizbajo. En un buen trecho caminamos sin hablar.

—Dime—pregunté después—¿tiene novio la señorita?

—¿Novio? ¡Qué va, señor!

—¿Nunca se ha enamorado?

—Que yo sepa, no.

—Pues no comprendo cómo puede vivir en tan horrible desierto como el Plan de los Tordos. Bien podía seguir alojándolos a ustedes en la hacienda y vivir con mi tía en la Rumorosa.

—Ya se lo ha aconsejado mucho Basilio—replicó Esteban —pero ella le ha prohibido seguir hablando de eso.

—¿Basilio? ¿Es Basilio el que quiere que su ama se vaya a Rumorosa?

—Pues él y todos nosotros queremos que la señorita sea feliz—dijo Esteban, aceptando otro cigarrillo.

5 —¿Y qué se opone a su felicidad? ¿Su pobreza? No será° viviendo en esa soledad como saldrá de ella. ¿Su luto? Pues el que su hermano haya muerto en la guerra no es como° para que ella se quede soltera. ¿Qué la apena pues en tal grado?

10 Esteban se hallaba visiblemente turbado.

—Yo no sé nada. No sé nada—replicó, con tanta firmeza que comprendí que nada me diría y que además, mentía al proclamar su ignorancia. A punto estuve de impacientarme, pero reflexionando con calma preferí no mostrarme agra-15 viado.

—Acéptame esto—le dije a Esteban, cuando llegamos a tierra conocida y él quiso despedirse.

El se negó sonriendo a tomar el billete, pero como yo insistiera, me pidió:

20 —Mejor unos cigarros.

—El billete y los cigarros—le dije tendiéndole la cajetilla.

Tomó el regalo, se despidió y volvió grupas. Ya iba a penetrar en la primera onda del río, cuando un pensamiento repentino me hizo gritarle:

25 —¡Esteban!

El se volvió y le pregunté a quemarropa:

—¿Por qué a tu ama la impresionan tanto los ciegos?

Esteban palideció.

—Señor, señor—gritó.—Usted me quiere perjudicar.

30 Y se lanzó al río, dejándome admirado.

7

EN LA RUMOROSA FUÍ RECIBIDO CON HO-
nores. La noticia llevada por Fidel, de que yo me enca-
minaba con Pensativa al Plan de los Tordos, enloqueció
de júbilo a las tres mujeres, que me abrumaron con preguntas.

—Sí, sí—les dije, fingiendo impaciencia.—Estoy enamorado
de Pensativa y si puedo me casaré con ella. Ahora que no
sé si ella me querrá alguna vez.

—¡Qué duda tan tonta!—protestó la Chacha.

—No hablemos más, por ahora—pedí.

Sin embargo, yo era el que hablaba sin cesar de Pensativa.
Confieso que el placer que me dieron las comodidades de
la Rumorosa me avergonzaba al compararlas con las miserias
del Plan de los Tordos. Me intrigaban, además, demasiados
puntos obscuros para que pudiera permanecer tranquilo;
meditando a quién me dirigiría en solicitud de aclaraciones y
no creyendo ser desleal con Pensativa, puesto que nada decía de la locura que la había llevado a desafiar la creciente,
elegí a mi prima para informadora.

La aceché en el corredor y cuando ella pasaba más descui-
dada, la detuve, la metí a mi cuarto, la hice sentarse y para
mejor destantearla fingí convertirla en mi confidente y le
di nuevos detalles sobre mi estancia en el Plan. Cuando la

vi más embobada con mi relato, le asesté la pregunta que
más deseaba ver respondida:

—Jovita ¿por qué se impresiona tanto Pensativa cuando
ve a un ciego?

5 Jovita abrió una boca enorme y sonrió luego medrosa-
mente.

—Respóndeme, prima.

—¿Yo qué sé de eso, Roberto?

—No salgas con disimulos. Contéstame.

10 —Ya me voy—dijo ella, levantándose de la silla.—Tengo
muchísimo que hacer.

—El único quehacer que tienes es enseñarle más necedad-
des al loro—le reproché.—En fin, vete, pero que conste que
mientras yo encuentre tantos misterios en la vida de Pensa-
15 tiva, no me resolveré a pedir su mano.

Jovita puso un semblante compungido.

—¡Ah! primo ¡qué carácter tan feo el tuyo!

—¿Feo porque quiero saber cuál ha sido la vida de Pensativa?

20 —A lo mejor sospechas cosas malas.

—No sospecho nada, Jovita. Yo respeto a Pensativa y la
creo una admirable e intachable mujer. Pero acabaré por
sospechar si veo tantos secretos. Quiero saber todo lo que
le atañe y la atormenta, y tú, que nos quieres a los dos y
25 que eres mi secretaria, debes darme cuantas noticias tengas.
Habla.

—Pues . . . pues . . .

—Voy a facilitarte el camino. ¿Dejaron ciego a su hermano antes de ahorcarlo?

30 —No, pero . . . ¿Por qué me obligas a hablar de eso?

—Sé que en esa guerra se cometieron atrocidades sin
nombre—insistí.—Dime ¿lo dejaron ciego?

—No exactamente—dijo Jovita, muy quedo.—Lo que pasó
fué que . . . que Carlos, cuando quiso huir, recibió una bala
35 que lo dejó ciego. Por eso cayó en manos de los enemigos.

—Ahora me explico todo—dije.—Es por eso que Pensativa se emociona tanto cuando ve a un ciego.

En el rostro de Jovita se esparció un alivio tan grande que mis sospechas retornaron. Volvió a parecerme rara la conducta de Pensativa. ¿Era posible, lógico, que el recuerdo de la herida que había impedido la escapatoria de su hermano fuera suficiente para emocionar a Pensativa hasta hacerla desear la muerte? ¿Y por qué, entonces, el grito de Esteban arrojándose al vado?

Me vi precisado a renunciar a seguir interrogando a Jovita, porque comprendí que por ella nada averiguaría y abrí la puerta para dejarla salir.

—Primo—me pidió—mejor no le digas a Enedina y a Genoveva nada de eso del ciego y de que andas preguntando esas cosas.

—Punto en boca—le prometí.

Como no abandonaba las esperanzas de averiguar algo de cualquier modo, pensé que quizá en el pueblo conseguiría algunos datos y después de la comida subí a la volanta, que en tres minutos me depositó en Santa Clara de las Rocas. No intenté interrogar al médico, temiendo que descubriera lo que Pensativa me había pedido ocultar. Visité dos o tres casas y en ellas, como sin intención, dirigí la charla hacia Pensativa.

Con gran sorpresa mía, era cierto lo que la Chacha me había referido: en Santa Clara no conocían a Pensativa. Hablaron de ella con vaguedad, de oídas. Nadie la había visto sino acaso de lejos. Los más viejos recordaban o mejor dicho, creían recordar, que a mediados del siglo anterior los Infante habían residido en el Plan de los Tordos. A quien todo el mundo recordaba era a Carlos, que en dos ocasiones se había apoderado de la población.

—Era muy duro—me refirieron mis informantes.—Era culto, fino de modales, guapo, pero no perdonaba jamás a sus enemigos. Había sido el mejor lugarteniente de la Generala, la terrible cabecilla de los cristeros y el gobierno hizo, por largo tiempo, grandes e inútiles esfuerzos para apoderarse de su persona.

El Secretario del Ayuntamiento pudo darme nuevos detalles sobre la muerte de Carlos.

—Costó mucho trabajo hacerlo caer, pero finalmente dió el salto. Nos lo consiguió un chico muy listo que vino de México, un detective que supo meterse con los cristeros y hacerse dar cartas y comisiones por la Liga de Defensa Religiosa. Muchacho atrevido y cruel como pocos. Se llamaba Gustavo Muñoz y tenía un ayudante al que le decían el Alacrán y que era como un engendro de Satanás. Entre los dos agarraron a Carlos cuando éste pensaba que nos iba a pescar dormidos.

—Detesto a esa clase de bribones—dije.

—Yo también. Gastaron aquí mismo todo el premio que les dió el gobierno y cuando estuvieron sin un centavo, desaparecieron como si se los hubiese tragado la tierra.

—Los habrán agarrado los cristeros—insinué.

—No es difícil. Muñoz desapareció yendo a ver a su noviecita, una criada que tenía doña Enedina en la Rumorosa. Si lo agarraron los cristeros, debe haber tenido una muerte muy chistosa.

Volví a la Rumorosa tan desorientado como al partir e interrogué a mis parientas y a la Chacha, pero sólo supieron decirme:

—Cásate con Pensativa y serás feliz.

Yo estaba resuelto a casarme, embriagado por todo° lo que de romántico había en los infortunios de Pensativa, pero me seguía pareciendo que algo tenebroso se interponía entre ella y yo, que un velo me ocultaba algo muy grave que sería menester averiguar antes de comprometerme al matrimonio.

El deseo de desgarrar ese velo me decidió a visitar a mi

primo Cornelio en su retiro de las Piedras Coloradas y así
lo anuncié esa noche en la recámara de mi tía.

—¿Quién hay que pueda guiarme hasta donde vive ese
loco?—pregunté.

—Yo te llevaré—respondió la Chacha.   5

—¿Cómo? ¿Tú, Veva?

—Yo, yo misma. Tengo ganas de ver a Cornelio y de
verlo en tu compañía. Además, quiero convencerlo de que
baje a la Rumorosa para ayudarnos a casarte.

—Cornelio ejerce mucha influencia sobre Pensativa—me   10
dijo mi tía.—Debes saber que él y Carlos Infante fueron
íntimos amigos.

—¿Pero quién se quedará para atenderte, tía?

—Se quedará Jovita y con ella será suficiente. Y estoy
segura de que ustedes no se tardarán muchos días en ese   15
viaje.

—Sea pues—acepté.—Nos iremos mañana . . . No, no,
pasado mañana.

En ese instante yo había decidido volver al día siguiente
al Plan de los Tordos. El pensamiento de ver nuevamente   20
a Pensativa me causó una dicha intensa y no me permitió
dormir tranquilamente. En mis sueños, en los que se mez-
claban Carlos Infante, sus asesinos, escenas sangrientas,
Pensativa aparecía como el ángel misterioso bajo el cual
todo callaba y se inclinaba. Desperté agitado y en un mo- 25
mento de lucidez me pregunté cómo era posible que yo,
tan pacífico, tan poltrón, tan enemigo de alborotos mientras
había vivido en la capital, me hallase tan a gusto en aquel
ambiente cargado de odiosos recuerdos y saturado aún del
olor de la sangre.   30

No por eso dudé en prepararme para ir al Plan de los
Tordos. Genoveva me entregó para Pensativa, por orden
de mi tía, una cajita con dulces cubiertos y yo me llevé
algunos de los libros que había traído de México y algunos
regalos que adquirí en Santa Clara para las mujeres y los 35

mozos. No quise llevar a Fidel por temor de disgustar a Pensativa con la presencia de un extraño más y partí solo, al trote de mi caballo, sintiéndome contento al saber cada vez más cerca a la mujer que yo amaba ya.

5 Iba tan ensimismado que no recordé cómo era preciso dirigirse al vado del Coyote y seguí el mismo camino por el que había viajado con Pensativa. Experimenté una desagradable sorpresa cuando mi caballo se detuvo en lo alto de la cuesta y me encontré las revueltas aguas del río cerrán-

10 dome el paso. No era posible arriesgarse a cruzar aquel torrente y me vi forzado a descender hasta el vado por senderos enfangados. Alcancé de este modo un viejo horno de ladrillo, desventrado, ante cuya barda semiderruída se alineaban cinco cruces de madera. El paisaje no podía ser

15 más lúgubre. La maleza invadía el ladrillar y los coyotes y las serpientes huían a mi aproximación.

Aquellas cinco cruces marcaban indudablemente cinco tumbas. Me incliné, pero no pude descubrir ninguna inscripción. Sin embargo, las cruces no eran muy antiguas;

20 seguramente databan de la época en que se había desarrollado la guerra religiosa. Me pregunté qué infelices habrían caído, fusilados quizá, en aquel ladrillar abandonado y todo el horror de la lucha fratricida pasó por mi mente. Jamás se me había aparecido tan espantosa la muerte, pero estaba

25 destinado a ver bien pronto huellas suyas más atroces.

Mi caballo reanudó la marcha por su propio impulso, sin que yo, abismado en mis meditaciones, me preocupara de guiarlo. Quedó atrás el ladrillar, pero no pude desprenderme de los fatales pensamientos que su cementerio me había

30 suscitado.

Lo que había sabido de Carlos Infante me causaba repugnancia. Me resultaba insoportable representarme a los dos partidos acometiéndose con la misma rabia y con idéntica crueldad. La lucha había engendrado seres duros, feroces,

35 hombres que se olvidaban de todo y se lanzaban de lleno al

sangriento drama y por eso aquella tierra manaba sangre y
por toda ella había tapias ruinosas a cuyos pies se extendían
improvisados cementerios.

Me sentí lleno de piedad para Pensativa, que era una de
las víctimas de la tragedia. La muerte de su hermano había   F
debido ser para ella un inolvidable desastre. Y miles de
mujeres han debido ocultar su dolor y han visto, como
Pensativa, alejarse la dicha. ¿Qué consuelos no merece ella?
me pregunté. Merecía todas las devociones, todas las entre-
gas y yo estaba resuelto a dedicarme a disminuir en su me-   10
moria la marca escarlata impresa por la guerra.

Pensando así llegué al vado y me vi obligado a estudiar
el modo de cruzarlo sin guía. En esos momentos vi a dos
hombres aparecer al otro lado del río, cuya margen seguían
al paso de sus caballos. Reconocí inmediatamente a Basilio   15
y a uno de los mozos y les grité demandándoles ayuda.

No se mostraron muy dispuestos a ayudarme.

—¿Para dónde va?—me preguntó Basilio, con su voz es-
tentórea.

Lo juzgué un descarado y maldito rufián y comprendí   20
que le desagradaba verme en camino de la hacienda. Sentí
una gran ira y sin pensarlo más eché mi caballo a la corriente. El bruto temblaba bajo mis piernas y se movía con
precaución, adelantando muy poco. Lo dejé en absoluta
libertad y evité ver para los lados, poco deseoso de impre-   25
sionarme con la carrera de las olas fangosas, cuyo zumbido
me ensordecía.

Los dos hombres me miraban desde la ribera, pero no
hacían nada por ayudarme. Creí que mi caballo no avan-
zaba, a tal punto eran lentos sus pasos. El agua subió hasta   30
mis piernas y amenazó con alcanzar el cuello de mi montura.
Una fuerza insistente nos quería hacer derivar, pero la noble
bestia supo mantenerse en el buen camino, a pesar de mi
peso y el del bulto que hacían los regalos destinados para
la hacienda. Sólo cuando estuvimos cerca de la orilla corri-   3b

mos un verdadero peligro. Un árbol que bajaba con el agua golpeó al caballo en la cabeza.

—¡Quieto!—grité involuntariamente, cuando el animal se encabritó.

5 Me sentí lazado desde la orilla, pero el orgullo me hizo recobrar rápidamente la serenidad. No quise ser salvado por Basilio y en un cerrar de ojos me quité el lazo y lo arrojé con desprecio. Quedé así entregado al caballo, pero mil veces hubiera yo preferido morir, a deber la vida al bandido 10 cuya hostilidad me había colocado en tan gran peligro.

Por fortuna el caballo se recobró y me condujo salvo a la orilla, donde vi a Basilio recoger tranquilamente su lazo. Su compañero se quitó el sombrero para saludarme, pero yo pasé de largo, silbando y tomé el camino de la hacienda. 15 Estaba contento de haber rechazado el tardío auxilio que había querido darme Basilio y no quise hacerle el menor reproche para mejor demostrarle mi indiferencia y colocarlo de una vez en su lugar.

Al acercarme al Plan de los Tordos, la alegría iba inva- 20 diéndome. Cuando desemboqué en la meseta, fuí alcanzado por Basilio, que se puso a mi lado con cierta confusión.

—Le pido que me disculpe—me dijo.

—¿Quién lo toma a usted en serio?—pregunté indolente- mente.

25 Un resplandor de rabia le pasó en los ojos.

—Por favor, que° la señorita no lo sepa—rogó, dominán- dose.

—¿Ha hecho usted algo malo?

—Usted ya sabe a qué me refiero—gruñó él, trémulo de ira. 30 —Nada tengo que decirle a la señorita—respondí—porque nada de lo de usted me interesa.

Detuvo su caballo y me vió acercarme a la hacienda. Sa- ludé con emoción al vetusto edificio. Lo encontré menos antipático, más noble en su abandono y entré con alegría 35 a su ancho zaguán. Esteban, que salió a mi encuentro, dió señales de júbilo. Las mujeres acudieron también, sonriendo y les repartí las baratijas que les había destinado y que les causaron el más vivo placer. Di a Esteban, con las riendas del caballo, los cigarros que traía para él y sus compañeros, y llevando la cajita de dulces y los libros me dirigí al corre- 5 dor, en el que había visto aparecer a Pensativa.

Mi saludo fué verdaderamente tímido y la hizo sonreír. Un placer incomparable me dominó al estrechar su mano y al oír su voz.

—Vengo a pedir nuevamente hospitalidad—balbuceé. 10

—Sea bienvenido—me dijo ella y sentí que se abría el cielo.

Tras entregarle los dulces le rogué que aceptara los libros.

—Van a serme muy útiles en esta soledad—me dijo.

La encontré tranquila y le agradecí el que me tratara con 15 una cordialidad que alentó mis esperanzas. En la asistencia, donde nos instalamos para conversar, vi a Pensativa escucharme con una real atención y me sentí más animado todavía. Como ella conocía México, me referí a la vida de la capital, procurando no ser frívolo. Hablé pues de los 20 conciertos y del ballet.

—Lleva usted una hermosa vida—me dijo Pensativa.

—Yo creía efectivamente llevar una hermosa vida—respondí, sincero.

—¿Es que ya no la cree así? 25

—No, Pensativa—dije lentamente.—Ahora veo que a mi vida le faltaba el amor.

Allí me detuve, tan satisfecho de haber arrojado una insinuación en el alma de Pensativa, como de haber desenvuelto ante ella un género de vida menos frívolo del que segura- 30 mente se me atribuía.

Me quedé a comer y naturalmente no pude ya pensar en regresar ese día a Santa Clara, porque las nubes anunciaban la proximidad del cotidiano chubasco. La comida fué más alegre de lo que podía haberse esperado en aquella finca. Yo 35 les era agradable a los servidores de Pensativa y me lo demostraron con canciones que reconocí como jaliscienses.

—¿Es que toda esta gente nació en Jalisco?—le pregunté a Pensativa.

5 —Toda. Mi hermano se la trajo de Jalisco y cuando Carlos fué martirizado, sus soldados se habían acostumbrado a vivir en estos lugares.—Casi sin transición añadió—Veo que está usted conquistándose a toda mi tropa.

Me señaló con un gesto a las mujeres, engalanadas ya 10 con los abalorios que yo les había obsequiado.

—Quiero ser amigo de todos—repliqué.

Terminada la comida, Pensativa me invitó a acompañarla a la huerta. Nos sentamos en una banca de hierro, medio rota, plantada en una glorieta en cuyo centro había 15 una fuente destrozada. Esteban llegó tras de nosotros llevando sobre una charola de barro una cafetera de peltre, una azucarera de vidrio azul y dos tacitas de porcelana.

—¡Café!—exclamé, encantado.

Me conmovió aquel pobre servicio, aquella costumbre 20 resucitada quizá para mí y que evocaba los antiguos usos a los que Pensativa había estado acostumbrada antes de habitar en el Plan de los Tordos. Un ímpetu de ternura sopló sobre mi alma.

—Pensativa—dije—nunca me he sentido tan dichoso, y 25 con todo, nunca he visto un lugar más triste que esta huerta.

—En efecto, es muy triste—replicó. —Por más de cuarenta años estuvo abandonada. Y lo sigue estando.

—Pensativa, no se deje usted llevar por la tristeza. Olvide el pasado y piense solamente en el porvenir.

30 —¿El porvenir?

—Sí, el porvenir. Usted no puede quedarse indefinidamente en este caserón. Piense—añadí, dulcificando por instantes mi voz—en que está en tiempo de sacudir recuerdos amargos y de emprender una nueva vida.

35 —Eso se imagina usted—replicó ella, con tristeza.

Era° verdaderamente Pensativa y anhelé poder besar su rostro penetrado de melancolía.

—Lo creo y lo creeré—afirmé.—Usted debe olvidar sus penas, su luto. Su hermano murió, pero un duelo no debe ser eterno. Que murió trágicamente—perdóneme por tocar este punto—eso no es motivo suficiente para entristecerse toda la vida, para enterrarse en el desierto. Que° la necesitan estas pobres gentes: pero no es necesario que usted viva con ellos y se convierta no en jefe sino en esclava. Piense bien en lo que le digo; se lo ruego.

—¿Qué sabe usted de mi pasado?—me dijo ella, viéndome a los ojos.—¿Qué sabe usted de los dolores que encierra?

—Cualquier dolor puede ser vencido.

—¿Cree usted que los recuerdos pueden ser aniquilados?

—Sí creo. Todo es permitirles irse amortiguando. No hay que entregarse a ellos, porque nos dominarán y nos despedazarán. Dígame ¿ha pensado usted seriamente en pasarse aquí toda la vida?

—He pensado en un convento—respondió, depositando su taza en la charola.

Como yo no había pensado en esa salida, me desconcerté y me alarmé.

—¿Un convento?—exclamé.—¿Y por qué un convento y no un hogar?

—¿Un hogar?

—Sí, un hogar propio, el de su marido y el de sus hijos.

Ella palideció.

—Un hogar ...

—Pensativa ¿no ha pensado usted nunca en casarse?

8

NO RESPONDIÓ INMEDIATAMENTE. NO PODÍA responder. La comprendí agitada, sufriente y sentí aumentar el amor que me inspiraba. Por fin consiguió dominarse.

—Jamás he podido pensar en casarme—contestó.—La gue-
5 rra religiosa estalló cuando me hacía mujer y ya no tuve un instante de tranquilidad. Todo fué zozobras. Estuve siempre rodeada de peligros.

—Hay cosas en las que tarde o temprano es preciso pensar—argüí.—Ahora que la guerra está bien concluída, entie-
10 rre usted sus recuerdos y resuélvase a aceptar un porvenir diferente.

Otra ráfaga cayó sobre la huerta y se levantó nuevamente el clamoreo de los árboles sacudidos, de las ramas quebradas. Pero ahora cayeron las primeras gotas.

15 —Vámonos—dijo Pensativa.

Nos pusimos en pie. Tomé la charola y seguí a Pensativa. El viento no cesaba. Esteban pasó corriendo a nuestro lado y lo vi regresar llevándose la mesita para salvarla del chubasco que se acercaba. Nos refugiamos en la cocina, en la
20 que encontramos reunidos a los inválidos. Las mujeres molían junto al brasero, cuyos hornillos despedían un fulgor rojizo. Nos resultó grato el calor de la sombría habitación y en ella aguardamos el fin de la tormenta.

52

Basilio fumaba junto al brasero y no intervino en la plática que entablé con los mozos, a los que hice referir algunos de sus recuerdos. Ellos narraban alegremente, pero advertí que se vigilaban para no irse de la lengua.

Cuando pasó lo peor del aguacero, Pensativa se encaminó 5 a su recámara; Basilio se me acercó y me rogó que lo escuchara unos momentos.

—Dígame—le respondí.

—No, aquí no. Por favor, afuerita, si quiere.

Lo examiné con suspicacia, pero él se apresuró a aclarar: 10

—Palabra que no tengo malas intenciones.

—Aunque las tuviera—repliqué.—Lo único que deseo es no ser atacado a traición.

Salimos al corredor y cuando estuvimos apartados de la cocina, me detuve para oír a Basilio. El no sabía cómo 15 empezar.

—Diga todo lo que tenga que decirme—lo apremié—pero que° sea pronto porque aquí hace frío.

—Pues . . . . quiero pedirle que me disculpe.

—¿De qué? 20

—Usted bien sabe de qué.

—Yo no sé nada—contesté, fastidiado.—Hable claro.

—Pues de que no lo quise ayudar a pasar el vado y de que en esos momentos yo estaba deseoso de que usted se ahogara. 25

—Yo tampoco le ayudaría a usted a pasar ningún vado y estoy siempre deseoso de saber que usted se ahogó.

Basilio no pudo retener una sonrisa que lo tornó más horrible.

—Más vale la franqueza—dijo.—Dígame ¿qué interés lo 30 trae aquí?

—¿Usted es el dueño de la hacienda?

—Bien sabe usted que no—repuso, sorprendido.

—¿Es usted el tutor o el pariente más cercano de la señorita? 35

—¿Quiere usted decir que . . . ?

—Quiero decir—lo interrumpí—que el interés que me trae aquí no tengo por qué manifestárselo al caporal.

Se irguió con furia, pero con un esfuerzo salvaje se dominó.

—Oígame un momentito más, señor—me suplicó.—No me provoque. ¿Por qué habíamos de reñir? Yo puedo ser su perro, si usted lo quiere. No me desprecie ni me desoiga. Yo y todos los de aquí adoramos a la señorita. Hemos hecho por ella lo que usted no se imagina. No debo hablar de ciertas cosas, pero óigame esto: ella es nuestro tesoro, nuestra reina y daríamos hasta la última gota de sangre por hacerla feliz. ¿Cree que nos gusta verla encerrada aquí, con nosotros que somos tan bestias y verla pobre y mal vestida? ¡Ella, ella que es, señor, la más santa y la más virginal de las mujeres!

Hablaba con tal fervor, con un ímpetu tan hondo, que me conmovió y me desarmó.

—Todo lo bueno lo queremos para ella—continuó.—Después de Dios y de la Santísima Virgen, viene la señorita. Y cuando lo vi a usted y luego cuando se vino con nosotros y cuando la salvó; y después que lo hemos visto sin orgullo y que se fué pero que ha vuelto y ha conseguido que ella se ría, pues he dicho: si trae buenas intenciones . . .

Se detuvo e hizo una mueca.

—¿Qué?—le pregunté.

—¿Qué intenciones trae?

Involuntariamente le tendí la mano a tiempo que le decía:

—Quiero casarme con la señorita.

—¡Bendito sea Dios!—exclamó.—Si Dios nos cumple ese beneficio, todos los mozos iremos a bailar la danza de los Coyotes el día de Santa Clara. Y yo ayunaré un año entero. Y un año dejaré de fumar. Cásese con ella, patrón. Es la mejor mujer que pueda usted hallar. Hágase querer y verá qué buena y pura y santa es ella. Lo seguirá en la dicha y no lo dejará en la pena. Nosotros lo serviremos a usted como la servimos a ella, pero si lo molestamos, si lo enfadamos, nos desapareceremos y no volverá a oír nombrarnos.

—Gracias, Basilio—respondí, conmovido.—Yo los estimo 5 a todos ustedes. Y si consigo hacerme querer de Pensativa, no nos separaremos nunca.

El se mostraba extrañamente trastornado.

—Hágase querer—insistió.—La empresa es difícil, porque ella ... Bueno, si usted la quiere como debe ser, usted debe 10 comprender que ella ha sufrido mucho y que no hay que recordarle nunca el pasado. Nunca, mi jefe, nunca. Olvide usted que ella ha vivido otros años y hágala olvidar también a ella. Se la llevará usted lejos, a México, y no volverá usted con ella por aquí. O mejor, se la llevará usted a esos países 15 que dicen que hay al otro lado del mar.

Aquella recomendación me produjo algo como una molestia. ¿Olvidar? Y yo que quería casarme sabiéndolo todo.

—Basilio—le dije—yo no quiero molestar a la señorita, pero entonces usted tendrá que darme algunos informes. 20

—¿Yo?—se rebeló él.

—Sí, usted. Y para comenzar, dígame ¿por qué se impresionó tanto la señorita cuando vió al indito ciego?

La tristeza se difundió en la cara de Basilio.

—Mi jefe—respondió—ésa es una de las cosas que nunca 25 debe usted querer saber. Yo nada más le digo: no hay mujer más santa ni más pura que la señorita.

Y echó a andar hacia la cocina, a cuya puerta lo alcancé para hacerle una pregunta que me importaba menos pero que no quise guardarme: 30

—Basilio ¿qué fué de Gustavo Muñoz?

El se rió bruscamente.

—Eso sí se lo contesto, jefe: donde mataron a mi general Infante, allí matamos a Muñoz.

—¿Y qué fué del Alacrán? 35

—Eso no lo sé—respondió tranquilamente.

No quise entrar a la cocina en esos momentos, en los que la concurrencia no podía menos de parecerme en cierto modo antipática y me dirigí a la asistencia. Pensativa leía, a la luz de la linterna, uno de los libros que yo le había llevado y su presencia disipó en mí el malestar causado por las palabras de Basilio.

Conversamos oyendo a la lluvia sonar en el techo. Viendo una pena tenaz delatarse en la mirada de Pensativa, me decía que resueltamente la conquista de aquel corazón dolorido no sería de ningún modo fácil. Reflexioné, empero, en que ya había avanzado mucho en la amistad de Pensativa y en que la paciencia me haría llegar a la meta. Ya era una gran cosa haber obtenido el entusiasmo de Basilio y lo único necesario era no precipitar los acontecimientos.

La llamada a cenar interrumpió el coloquio y pasamos a la cocina, cuyo calor nos animó. Terminada la cena no me dejé vencer por la fatiga y la tertulia se prolongó hasta que Pensativa me dió las buenas noches y se retiró a su habitación. Yo permanecí en la cocina y acepté primero un vasito de tequila y después jugar a la baraja. Me interesaba conquistarme completamente aquella tropa y me consolé pensando en que eran mozos después de haber sido soldados.

No cometí la necedad de perder. Jugué con toda la sabiduría que un soltero puede haber almacenado y en una hora dejé sin blanca a los inválidos. Esto los hizo verme con más respeto. Basilio tenía más dinero y me lo apostó a los albures, pero la suerte estaba decididamente a mi favor y todo el dinero pasó a mi poder. Basilio se levantó mascullando interjecciones y yo me reí a carcajadas, hasta que una de las mujeres dijo con tono apesarado:

—¡Ah! señor: afortunado° en el juego . . .

Sentí como si me hubiesen dado un puñetazo en el pecho, pero reaccioné y me encogí de hombros.

—Lucía—dije—nunca he creído en la verdad de los refranes. He visto afortunados en el juego que son también afortunados en amores.

Me levanté para salir, pero no quise dejar melancólicos a los perdidosos.

—No creo ofenderlos devolviéndoles su dinero—exclamé. —Háganme el favor de aceptarlo.

La alegría de aquella pobre gente me colmó de gozo. Sólo Basilio se negó a aceptar la devolución de su dinero.

—No señor—dijo.—Yo juego de deveras.

Opté por darles a las mujeres el dinero que le había ganado al caporal y me dirigí a la asistencia, en la que encontré preparado mi catre. Me acosté y medité unos minutos en la rareza de aquella situación. Yo amaba a Pensativa ¿pero no era muy raro renunciar, como Basilio me lo pedía y como lo insinuaban en la Rumorosa, a averiguar su pasado?

9

AL DESPERTAR, TODAVÍA ME PREOCUPABA EL
mismo pensamiento. Yo comprendía que en el pasado de
Pensativa no había nada reprensible, pero . . .

—Saber, saber—me dije, levantándome.—Saberlo todo,
5 por° más cruel y doloroso que el pasado pudiera presentarse.
Saberlo, para poder amar sin temores, sin nubes, eterna-
mente . . .

Abandoné la hacienda, como en la primera visita, a media
mañana. Nuevamente se reunieron ante el portón las mu-
10 jeres y los mozos, para despedirme, pero el camino lo hice
acompañado no por Esteban sino por Basilio, que sin duda
quería borrar con su nueva cortesía su anterior deservicio.
Basilio extremó su amabilidad acompañándome hasta que
divisamos la Rumorosa.

15 —Basilio—le pregunté—¿conoce usted el ladrillar abandonado que hay junto al río?

—Sí, el ladrillar de doña Ursula Vega—respondió.—A
doña Ursula la echaron al río los soldados porque nos
llevaba parque y noticias.

20 —¡Qué atrocidades oigo siempre que hago una pregunta!
—exclamé.

—¿No le digo, mi jefe?—murmuró Basilio.—Es mejor que
no pregunte nada.

58

—Junto al ladrillar hay cinco cruces—continué.—¿Sabe usted quiénes están enterrados allí?

—Uno es mi hermano Inocencio—contestó Basilio, tranquilo.—Otro es el Chueco, un muchacho de Colima. Los otros no sé cómo se llamaban. 5

—¿Todos fueron fusilados?

—Los cinco. Se llevaban a un capitán para colgarlo, cuando cayeron en una emboscada. No conocían esta tierra.

—Adiós—le dije a Basilio. 10

En la Rumorosa tuve que referir minuciosamente mi estancia en el Plan de los Tordos. Para mis parientes y para la Chacha, mi matrimonio era cosa hecha y lo mismo juzgó el doctor.

—Te vas a llevar cosa buena—me felicitó, abrazándome. 15

—Calma, mucha calma—pedí.—No sé si Pensativa llegará a quererme. Veva, no empieces con tus gestos. No creas que sea fácil hacer que Pensativa se enamore. Y si se enamorara, es bastante fuerte para vencerse y para negarse si esto le parece conveniente. 20

—No si estuviéramos nosotras para ayudarte—exclamó mi tía.

—Pensativa será tu mujer—sentenció el médico.—Yo te digo nada más una cosa: no te casarás° con Pensativa sólo que no quieras casarte. En tu mano está o acabará por estar 25 la decisión.

Se quedó a comer con nosotros y se marchó bajo un aguacero. Ya no podíamos ni la Chacha ni yo pensar en salir para las Piedras Coloradas y el viaje tuvo que aplazarse una semana, porque en toda la siguiente llovió día y noche. Me 30 consumía de impaciencia. Me era imposible ir al Plan de los Tordos, pues la corriente borraba los vados y hube de conformarme con hacer visitas en la población, más tristona que nunca bajo el temporal.

Por fin volvió a lucir el sol y se anunció una pausa en las 35 lluvias. Inmediatamente previne a la Chacha de que partiríamos al día siguiente muy temprano.

—¿No sería mejor aplazar el viaje un poco más?—preguntó ella.

5 —Veva, si no quieres ir, quédate. Fidel puede llevarme, según asegura.

—¿Cómo no he de querer ir?—protestó Genoveva.—Pero es que vamos a encontrar demasiado lodo.

—En la sierra no hay lodo.

—La verdad es—intervino mi tía, a la que ya habíamos podido sentar en su cama—que Genoveva no quiere pasar en la sierra el día quince.

—¿Qué tiene de malo el día quince?—pregunté.

—No diga usted nada, doña Enedina—pidió la Chacha.—

15 Yendo con Roberto no temo nada. Con él me quedaría a dormir muy tranquila en la Huerta del Conde.

—¿Qué huerta es ésa?—pregunté.

Genoveva lamentó haber hablado.

—Pues ... una huerta muy vieja que está junto a la Poza
20 de los Cantores—respondió con hesitación.—Bueno, no hablemos más. Nos iremos mañana. ¿No sabe Pensativa que vamos a ver a Cornelio?

—No se me ocurrió decírselo.

—Más vale—exclamó mi tía.

25 La Chacha preparó las provisiones y al otro día, cuando apenas si era visible el camino entre la neblina, emprendimos el viaje. Genoveva y yo íbamos adelante, a caballo; Fidel nos seguía en su caballito, llevando del ronzal la mula cargada con los víveres y los abrigos.

30 Una revuelta del camino y del río nos condujo a un valle en cuyo centro vi correr una tapia que alcanzaba al río. Una vegetación apretada se encrespaba tras la tapia y ahogaba los restos de un edificio que me recordó la residencia de Pensativa.

35 —¿Qué lugar es éste?—pregunté.

—La Huerta del Conde—respondió Genoveva, persignándose.

Fidel la imitó con una precipitación turbadora.

—¿Qué les pasa?—dije, sorprendido.

—Persígnate tú también—me pidió la Chacha.—Este lugar está maldito.

Yo me levantaba sobre los estribos, admirando aquel valle solitario. El río se arrastraba serenamente y en el centro mismo del valle formaba una poza de obsidiana en la que iban a hundirse las últimas gradas de una escalinata tallada en la roca y que nacía al pie mismo de las tapias de la huerta.

—Es la Poza de los Cantores—me dijo la Chacha.

Del fondo de mi memoria vinieron entonces restos de perdidas tradiciones. A fines del siglo XVII, un español descubrió la mina que se llamó la Malagueña; su hijo fundaba el condado de Río Negro y en plena sierra abría un ancho camino y edificaba un palacio de recreo en el que habitaba cuando se le ocurría abandonar la corte del virrey. Y bruscamente, todo había naufragado: la mina se agotaba, la huerta quedaba abandonada y el último conde moría en el sitio de Cuautla al servicio de Fernando VII. Sólo quedaba una historia convertida en borrosa leyenda.

Ahora, yo tenía ante mis ojos la célebre huerta, convertida en selva y en un sitio de terror.

—No veo cómo puede darte miedo este lugar—le dije a Genoveva.—No me extraña que Fidel se ponga a temblar, porque siempre había sospechado que es un cobardón, pero tú, en cambio, siempre te has reído del miedo.

—Yo no soy cobardón—protestó Fidel—pero no me gusta acercarme a la huerta porque está maldita.

—Si tú supieras lo que la huerta ha visto últimamente—me dijo la Chacha—hablarías de otro modo.

—Vamos a comer aquí—propuse—y me contarás por qué está maldita la huerta.

—Yo no podría comer aquí ni un solo bocado—replicó la Chacha.

—Ni yo—anunció Fidel.—Patrón, vámonos; yo sé lo que le digo.

5   Una sospecha me vino a la mente.

—Veva—pregunté—¿se relaciona con Pensativa lo que pasó en la Huerta?

Genoveva dió señales de sentirse incómoda.

—Pues si no me cuentas lo que ha pasado en este lugar—
10 agregué—no pasaremos de aquí.

—Eres más testarudo que esa mula que trae Fidel—se quejó la Chacha.

—Tú todavía no sabes todo lo testarudo que soy—repliqué.

—Veva, tú debes contármelo todo, absolutamente todo, si
15 es que en verdad quieres verme casado con Pensativa.

—Bueno, te contaré todo ... todo lo que sé—accedió ella.

—Pero será más adelante y no en este lugar maldito.

—Vámonos pues—dije.—Ahí veo un sendero que nos acor- tará el camino—añadí señalando un sendero que pasaba
20 entre el río y la tapia, en lo alto de la ribera.

—Antes me muero que ir por ese camino—gritó Veva.

—Yo también me muero—la coreó Fidel.

La Chacha y Fidel apresuraron a sus cabalgaduras y no osaron volver ni una sola vez el rostro. Yo, en cam-
25 bio, como si hubiese presentido que la historia de aquella huerta iba a mezclarse tan odiosamente con la mía, como si hubiese adivinado que su misterio acabaría por deslum- brarme y por arrojarme con Pensativa a un torbellino, me retrasaba e inspeccionaba el bosque amontonado entre las
30 tapias.

Al extremo del valle el camino se internó en un pinar.

—Chacha—propuse—comamos aquí.

Ella y Fidel, aunque hubieran querido alejarse más, me obedecieron y desmontaron como yo. El viaje nos había
35 dado apetito; comimos, y después, Genoveva aceptó un

cigarrillo. La obligué a permitir que Fidel fumara en su presencia y una vez encendidos los cigarros, exigí:

—Ahora, Chacha, cuéntame lo que sepas sobre la huerta.

Ella me contó lo que sabía y siempre creeré que en aquel momento puse en marcha a la fatalidad.

5

10

—NO ME GUSTAN ESTAS HISTORIAS—DIJO GE-
noveva—y menos contártelas a ti, que piensas tan raro. Yo
fuí cristera. No anduve con las armas en la mano, pero hice
lo que tu tía y lo que por aquí todo el mundo hizo: ayudar
5 a los rebeldes. La situación de la Rumorosa, aislada a las
puertas de Santa Clara, nos favorecía y podíamos con rela-
tiva facilidad pasar avisos, dinero y medicinas. Y hasta
parque.

"Teníamos que usar muchas precauciones y éramos más
10 desconfiadas que los coyotes. Por eso no quise ser amable
con Gustavo Muñoz cuando llegó, a pie, al pardear la tarde,
pidiéndonos auxilio. Lo recibí en el portón y doy gracias a
Dios por eso; tu tía es más compasiva y hubiera acabado por
apiadarse y por creerlo todo. Muñoz me entregó resuelta-
15 mente, pero viendo para todos lados, una carta que abrí sin
demostrar interés. El membrete era el de la Liga° Nacional
Defensora de la Libertad Religiosa. La carta estaba fechada
en Pachuca y venía dirigida a tu tía, pero comprendiendo
que mi manera de mandar a las criadas había engañado al
20 portador, la leí tranquilamente. Era una recomendación a
favor de Muñoz, al que se pintaba como un partidario de
la causa, como un celoso católico al que se perseguía de

muerte y al que la Liga había dado una comisión para el general Carlos Infante.

"Desde Michoacán hasta Durango, los federales temían a ese hombre que era el único cristero capaz de desplazarse por todo el Interior y que no discutía las órdenes de sus superiores. Por eso querían agarrarlo con tantas ganas y por eso desconfié de Gustavo Muñoz. Creí auténtica la carta y en efecto lo era, pero lo que nadie sabía es que el mismo Carlos, desde la primera vez que tomó a Santa Clara, nos había dado la consigna de no aceptar comunicaciones para él. Carlos sabía su juego. Quería tener gente segura, que le diera avisos, pero gente sólo conocida de él, independiente, a la que nadie pudiera delatar y que por lo mismo no se prestara ni siquiera por ignorancia a servirles de instrumento a los enemigos. Carlos no se comunicaba con la Liga sino a través de la Generala.

"Ya en sospechas, fingí extrañeza ante Gustavo.

"—No sé por qué la Liga me recomienda que lo lleve a usted al lugar donde se encuentra el general—dije devolviéndole la carta.—Ni sé dónde anda ese señor, ni veo por qué la Liga se dirige a mí.

"—¿No es usted católica?—preguntó Gustavo.

"—Y jamás dejaré de serlo, pero nada quiero ver con la guerra.

"—El general Infante se alojó con usted las dos veces que tomó a Santa Clara.

"—¿Quería usted que le impidiera la entrada a la casa, cuando doscientos hombres no le impidieron entrar al pueblo? Se alojó aquí como se alojó el Jefe de las Operaciones y como se alojará usted si viene con tropas: a la fuerza.

"—La Liga está segura de que usted es amiga del general —insistió Muñoz.

"—¿Quién mete a la Liga en lo que no le importa?—pregunté, cansada ya.

"—Es doloroso ver que los católicos perseguidos no encontramos auxilio entre nuestros hermanos.

—"Auxilio es otra cosa—respondí.—¿Cuál puedo darle que no sea alojamiento?

5 "—¿Y por qué no alojamiento?

"—Porque vivo fuera del pueblo y no quiero líos que a mí me costarían más caros que a nadie más. ¿Quiere dinero o provisiones?

"—Quiero esto—dijo él, saliendo a la calzada y silbando.

10 "—¿A quién está usted llamando?—le pregunté, haciéndole una seña a Ireneo para que se armara.

"—A mi hermano—respondió, recibiendo a un hombre flaco, narigudo, enlodado, que entró cojeando.—Señora, usted puede negarme asilo a mí, pero no se lo negará a mi

15 hermano.

"Y salió a la calzada. No pudimos pensar en detenerlo y nos quedamos con el que había presentado como su hermano. Este dijo llamarse Tomás, pero después supimos que en México le decían el Alacrán. ¡Cómo me dió asco y

20 compasión aquel hombre! Era delgadito como un fideo, lampiño y narigudo. Y malo como el diablo. Su mirada quiso ser humilde, pero fué mirada de víbora.

"—Señora—me dijo—vea lo que he sufrido por el amor de Dios.

25 "Y en el mismo zaguán se levantó la blusa y me enseñó la espalda. Hasta grité, Roberto, cuando vi aquella espalda hecha una llaga.

"—Son latigazos—me dijo.—Me los dieron los herejes. Vengo huyendo, señora. Me matarían si . . .

30 "Se desmayó y cayó en el santo suelo. Ya no tuve más remedio que aguantarlo en la casa y tu tía, que volvió del pueblo, aprobó mi conducta. Lo alojamos en el cuarto que está junto al tuyo y lo curamos hasta que llegó el doctor López, quien se encargó de atenderlo. Se repuso pronto.

35 En tres días ya tomaba el sol en el patio y yo, viéndolo, no

podía menos de decirme que Nuestro Señor escogía muy feos campeones para su causa.

"El Alacrán comprendía que yo no lo tragaba, pero viendo que el ama era otra, se burlaba de mí. Comía bien el maldito y me hacía bromas pesadas. Yo me moría de ganas de correrlo, pero él demostraba tanto miedo a salir de la casa, que se hubiera necesitado un corazón de fierro para poder echarlo. El se ingenió para espiarnos, pero si él nos espiaba, yo lo espiaba a él y jamás pudo cogernos en falta. Disimuló bien su impaciencia, aunque se manifestaba muy inquieto por no tener noticias de su hermano.

"Gustavo, por desgracia, había sabido encontrar al general. La infeliz doña Ursula, la dueña del ladrillar, le creyó su historia y le dió los medios para internarse en la sierra. Carlos volvía de Durango y recibió a Gustavo con recelo.

"—La Liga me hace mucho honor al escribirme directamente—dijo—pero yo sólo acato las órdenes que me da la Generala.

"—Eso no me incumbe—contestó Gustavo.—Mi general, yo recibí órdenes de buscarlo a usted y de entregarle esa carta.

"—¿Conoce usted el contenido?

"—Sé que le ordenan a usted ir a Jalisco y reunirse con la Generala.

"—La Liga se ha tomado una molestia inútil—contestó Carlos.—La Generala me ha dado ya sus órdenes. Puede usted volver a México y decirles eso a los jefes.

"—General, usted me puede matar si quiere—dijo Gustavo—pero yo no regreso a México. Vea usted esta carta en la que se dice quién soy.

"Carlos leyó la carta, que era el elogio de Gustavo. Según la Liga, Gustavo había prestado grandes servicios a la causa y correría peligro mortal si volvía a México. Su hermano Tomás había sido martirizado y otro hermano había sido fusilado.

"—Ya me cansé de aquella vida de angustias y quiero luchar francamente, con las armas en la mano. Déme usted la oportunidad de probarle mi valor y mi fe.

"Carlos no tuvo más remedio que dársela. Ya estaba de
5 Dios que recibiera a su Iscariote. Se lo llevó a Jalisco, donde se reunió con el ejército cristero. La Generala quería caer sobre Guadalajara y su plan habría tenido éxito si no hubiese sido porque el Ministro de la Guerra llegó repentinamente a Jalisco con una fuerte división. Seguramente el
10 gobierno había tenido aviso y pudo hacer fracasar el intento. Entonces se disolvió el ejército de la fe y Carlos volvió al norte.

Todo esto lo sé por Basilio—continuó Genoveva.—Basilio era el dedo chiquito del general Infante y presenció la tra-
15 gedia. Carlos regresó ardiendo en ira y con su grupo aumentado por algunos elementos que deseaban combatir bajo sus órdenes; venían dos abogados, un ingeniero, un gringo . . . También venía—añadió lentamente, dándome de nuevo la impresión de que se medía para no decir más de lo que
20 quería—el Desorejador.

—¿Quién era ése, Chacha?—le pregunté.

—Era . . . un hombre muy valeroso pero muy bárbaro. Le decían el Desorejador porque cuando agarraba comunistas, les cortaba las orejas.

25 —¡Oh! ¿Ha habido gente tan salvaje?

—Ha habido gente peor—replicó Genoveva.—Pues el Desorejador venía con Carlos, subió con él hasta Durango y regresó con el general a estos parajes. Carlos había recobrado el buen humor y resolvió apoderarse de Santa Clara
30 de las Rocas, pero antes quiso dar a su gente algún descanso y tomar informes.

"Vino él, en persona, hasta el pueblo, disfrazado de arriero. ¡Qué temerario era el hombre! Dejó en el ladrillar a Basilio, a tres hombres más y a Gustavo. Ese fué su error.
35 La infeliz doña Ursula recibió de Gustavo un mensaje para

el Alacrán. Y la pobre vieja, al día siguiente trajo el mensaje a la Rumorosa.

"El Alacrán, al recibirlo, corrió a rezar al cuarto de doña Enedina. ¡Dió gracias! Sí que las debía dar, pero no porque su hermano estuviese a salvo, que° tan hermano era de Gustavo como del Desorejador, sino porque el mensaje quería decir: todo listo.

"El diablo debe haber recibido aquellas gracias. El diablo que buscaba perder a Carlos. El general regresó a su campamento lleno de gusto, porque comprobó que Santa Clara tenía escasa guarnición. Dió las órdenes y avanzó con su gente. Era a principios de 1928. Bajaron por aquel pinar que ves al otro lado del río y fueron a comer en aquel prado que está junto a la Poza de los Cantores.

"¿Lo ves? Es un descampado que favoreció la instalación de la tropa y de los caballos. Mientras se preparaba el rancho, Gustavo le propuso a Carlos tomar un baño en la poza. El general aceptó. Se desnudaron y se echaron al agua. El Desorejador y otros los imitaron.

—¿Y Basilio?—pregunté.

—¿Basilio? ¡Ah! él también se bañó. Nadie esperaba nada malo. Los centinelas vigilaban el camino abierto por los condes y a la huerta todo el mundo la sabía abandonada. Aquella confianza hizo el éxito del plan de Gustavo, un plan trazado en México tan cuidadosamente por hombres expertos, que el Alacrán había tenido que aguantarse una paliza para conseguirse las espaldas llagadas. ¡Qué tipos infames eran ésos! Se habían hecho pasar por creyentes, habían rendido a la Liga verdaderos servicios y casi eran tomados por santos. Si el infierno tiene santos, Gustavo y el Alacrán deben tener hasta letanías.

"Basilio me ha contado la escena. Estuvieron nadando un rato y después Gustavo alcanzó la escalera que llega hasta la huerta y la subió como por curiosidad. De repente dijo muy alterado, como si hubiese visto algo de interés:

"—Mi general, mi general, venga a ver.

"Carlos subió. Subieron también Basilio y cinco hombres más. Y de repente cayó un lazo sobre el general y luego otros y la huerta empezó a vomitar soldados. Con ametra-
5 lladoras barrieron a la gente de la otra orilla y pusieron en fuga a los supervivientes.

"El general y sus compañeros habían caído como pajari-tos. Cuando Carlos comprendió, ya era tarde. Su tropa ha-bía huído y Gustavo y el Alacrán se abrazaban entre los
10 federales. No dijo una palabra. Basilio fué el que injurió y escupió al traidor. Gustavo se reía de los insultos y acon-sejó al jefe de los federales que ejecutara inmediatamente a los prisioneros.

"—Esas son las órdenes que traigo—dijo el jefe.—Y usted,
15 apártese. Me chocan los que venden a la gente.

"Gustavo no se dió por ofendido.

"—A la horca, a la horca—exclamó, mofándose de Carlos.

"El hermano de Pensativa lo miró con desprecio.

"—¿Tienes mucha prisa de verme morir?—le preguntó.
20   "—Mucha, mucha, para cobrar el premio.

"—Tú no morirás pronto—le dijo Carlos—pero tu muerte será peor que la mía.

"Gustavo palideció.

"—Basta—gritó.—Y no me mires así, general de bandidos.
25 ¡A la horca, a la horca!

"Colgaron a Carlos de esa encina que ves echar su som-bra en el sendero. Hubieran° colgado inmediatamente a todos los prisioneros, si Gustavo no hubiese querido saciar su odio en el cadáver de Carlos. Lo había aterrorizado la
30 profecía de su víctima y se le desbordó el lodo de su maldito corazón. Sacó su pistola y la vació sobre el ahorcado; una de las balas rompió la cuerda y el cadáver cayó al suelo. Gustavo lo pateó, lo escupió y después, como lo asustaran los ojos del muerto, se los saltó con una vara. No pudo
35 continuar sus profanaciones, porque Basilio intervino. Es

fuerte el caporal. La ira lo dominó hasta el punto de permitirle romper las ataduras. Con un salto de fiera se precipitó sobre Gustavo, al que habría despedazado si el Alacrán, que no lo perdía de vista, no lo hubiese detenido en el aire dándole un machetazo.

"Basilio cayó con la cara destrozada; tú has visto la cicatriz que conserva. Lo creyeron muerto y lo echaron al río. Sólo entonces fueron colgados los demás presos. Basilio, al que el agua había devuelto el sentido y que se había podido ocultar en un agujero que hay al borde de la poza, no reapareció hasta que los enemigos se marcharon a Santa Clara. Entonces subió a la orilla opuesta y se reunió a los fugitivos. Como Gustavo había dejado irreconocible el semblante de Carlos, los federales no vieron el modo de exhibir el cadáver en el pueblo y lo habían dejado abandonado bajo la encina. Basilio enterró al general con los demás ejecutados y se fué con los cristeros supervivientes a las Piedras Coloradas, donde pasó quince días muriéndose de fiebre.

"Cuando recuperó la salud vino a la huerta y rezó sobre las tumbas de su general y de sus amigos. Después se fué para Jalisco a reunirse con la Generala. Y ésa es la historia de este lugar maldito—terminó Genoveva, volviendo a persignarse.

11

YO LA HABÍA ESCUCHADO CON UN VIVO INTE-
rés. Ahora comprendía el horror de Pensativa a los ciegos;
sin duda ella no podía olvidar el ultraje inferido al cuerpo
de su hermano y ante cada ciego su imaginación rehacía el
5 terrible cuadro.

—Pero entonces—murmuré—¿por qué Jovita no quiso decirme la verdad, horrible pero inofensiva, y prefirió inventar
lo de la herida que había impedido la fuga de Carlos?

—Chacha—dije en voz alta—¿estás segura de que Gustavo
10 le saltó los ojos a Carlos cuando éste ya era cadáver?

—¡Vaya° que si estoy segura!—se indignó ella.—Basilio
me lo contó todo y él no tiene por qué inventar.

—¿Dices que eso fué a principios de 1928?

—En febrero.

15 —¿Por qué, entonces, le tienes tanto miedo al quince de
julio?

Genoveva abrió la boca, pero no pudo responder.

—Tú me ocultas algo, Chacha.

—Algo que no tiene relación con Pensativa—respondió y
20 me pregunté si mentía.

—¿Ahorcaron también al Desorejador?—pregunté.

—No . . . Se lo llevaron a Santa Clara para obligarlo a
hacer revelaciones, pero se les escapó en el camino.

—Dime qué fué de Muñoz y del Alacrán.

—No sé más, Roberto, no sé nada. Ten compasión de mí. ¡Cómo me martirizas! Vámonos, vámonos—suplicó, levantándose.

La vi tan excitada que no me opuse a seguir el camino. Montamos a caballo y anduvimos en silencio, por vericuetos. Acabamos por perder de vista al río. Yo me repetía todas las preguntas que le había hecho a Genoveva y sentía siempre al viejo secreto erguirse ante mí. ¿Qué había de prohibido, de espantoso, en el pasado de Pensativa, que con tantas ganas me era ocultado? Yo sabía que Gustavo Muñoz había recibido su castigo; me lo había dicho la misma Pensativa. No era eso pues lo que se deseaba ocultarme. Pero entonces ¿qué era?

De pronto apareció un centinela armado de una carabina sobre un peñascal.

—Buenas tardes, doña Genoveva—saludó.—¿Qué milagro que se deje ver?

—Cascajo ¿dónde está tu general?—preguntó la Chacha, devolviendo el saludo.

—En el campamento—respondió Cascajo, señalando el fondo del valle.

Bajamos al campamento, que se reducía a dos barracas construídas al borde de un torrente. Un hombre contenía a dos perros feroces, que saltaban enseñando los dientes.

—Mi general Cornelio—grité—yo te saludo.

Me respondió una alegre exclamación y Cornelio, entregando los perros a un indio que tras él enarbolaba una escopeta, se lanzó sobre mí. Su abrazo me devolvió el buen humor.

No se cansaba de verme y quiso inmediatamente llevarme a su morada. Lo seguimos después de entregarle los caballos al indio y entramos a una pieza en la que vi, en un marco dorado, único lujo de la pieza, el retrato de Carlos Infante.

—Tienes el retrato del hermano de Pensativa—dije intencionadamente.

—¿La conoces?—preguntó con entusiasmo.

—Claro está. ¿Y por qué te entusiasmas tanto? ¿Estás enamorado de ella?

—¡De Pensativa!—exclamó Cornelio.—¿Enamorarme de Pensativa? Estás loquísimo.

Genoveva sufría visiblemente de los nervios.

—Por lo que más quieran—suplicó—no hablen ahora de Pensativa ni de nadie sino de ustedes mismos.

Cornelio leyó indudablemente algo en los ojos de Genoveva, porque se turbó y se alisó la barba.

—Siéntense—dijo.—Han de traer hambre ¿eh?

—Bastante—confesé.

Cornelio llamó al indio y le ordenó asar carne.

—¿No tienes cocinera?—pregunté.

—Aquí no hay mujeres—replicó, sin dejar de sonreír.—¿Sabes, primo? Esto es como un monasterio.

—¿Del que tú eres el abad?

—Soy el general—contestó.—Seguimos como cuando andábamos en la cruzada. Quedamos siete cristeros. Todo se hace aquí al toque de corneta y se le debe obediencia al superior jerárquico.

Lo observé, sintiéndome intrigado, mientras los recuerdos de nuestra infancia me llenaban la mente.

—Cornelio, me parece mentira que hayas andado levantado en armas.

—Y fué bravo mi general—intervino Genoveva.—Lo hubieras visto entrando a caballo, victorioso, en Santa Clara. Justo un San Miguel.

—Pero eres casi el único que salió de esa guerra con un semblante tranquilo—le dije.—Porque, verbigracia, el buen Basilio ...

—¡Ah! Basilio—exclamó Cornelio, moviendo la cabeza.—Ese sí que fué terrible.

—¿No te daba horror andar con esa gente entre la que había hasta un Desorejador?

—Ya está la cena—interrumpió Genoveva.

Se levantó para disponer en la mesa los platos de peltre y nos dió el ejemplo de apetito. Yo no por comer abandonaba mis pensamientos. Quería alejar a Genoveva antes de que pusiera sobre aviso a Cornelio, pero viendo difícil conseguirlo, me lancé de improviso.

—Cornelio ¿estuviste en la Huerta del Conde el quince de julio de 1928?

Palideció y dejó de comer.

—Estuve.

—¿Qué pasó ese día?

—Pues ... lo que tenía que pasar.

—Esa no es respuesta. Chacha, no hagas gestos y oye esto: Pensativa misma me dijo que su hermano estaba vengado y que los mozos del Plan de los Tordos habían sido los vengadores. Basilio me informó sobre el lugar donde se había desarrollado la venganza: el mismo en el que Carlos Infante había sido ahorcado. Y tú, Chacha, me contaste esta tarde que Carlos había sido ejecutado en la Huerta del Conde. Ya sé pues que hubo una venganza y comprendo que ésta fué igual a la culpa: alguien, quizá Basilio, le saltó los ojos al cadáver de Muñoz.

Me volví hacia Cornelio y le hablé francamente:

—Primo, estoy enamorado de Pensativa.

—¿Me dejas darte un abrazo?—gritó Cornelio.

—Claro que sí—acepté, riendo y levantándome para recibir el abrazo.

—¡Qué estupenda noticia!—exclamaba él, tan nervioso que no podía estarse quieto.—¡Mi primo está enamorado de Pensativa!

—Y si puedo, la haré mi esposa.

—Ese día bajaré a Santa Clara—anunció Cornelio.—Va a ser un día grande. ¡Se casa Pensativa! Y se casa con mi primo.

—No te apresures—le dije.—La cosa no está como para festejarla ya. No sé si Pensativa llegará a compartir el cariño que le tengo y me temo que aunque llegara a ello, no querrá darme su mano. Tiene una pena muy grande. Sé que origi-
5 nalmente todo viene de la muerte de su hermano, pero he visto que hay más, que existe un secreto. Pensativa se emociona de un modo increíble ante los ciegos. Las explicaciones que me han dado todas las personas a las que se las he pedido no resultan suficientes. Todos mienten, todos tergi-
10 versan o echan a correr. Y ese secreto me atormenta y me alarma.

—Pensativa es la mujer más pura que haya en eʲ mundo —me dijo Cornelio.

—No lo dudo. Aclaro que no pienso mal de ella, pero
15 comprendo que se siente agobiada por algo y adivino que quiere expiar las acciones de Carlos o las de sus hombres. Por eso quiero saberlo todo. No me parece bastante para
... para atormentarla tanto, el hecho de que al cadáver de su hermano le hayan sido saltados los ojos y de que el cadá-
20 ver de Gustavo Muñoz haya sufrido la misma mutilación. Hay algo más. Dime qué es.

Cornelio levantó con firmeza su mirada y la puso sobre mí. Entonces vi al Cornelio guerrillero, al Cornelio cristero. Algo duro, fanático, había surgido en aquellas pupilas que
25 me habían parecido infantiles.

—Si hay algo, yo lo ignoro, primo.

—Dime qué pasó el quince de julio del año veintiocho en la Huerta del Conde.

—Lo que pasó no tiene nada que ver con Pensativa.

30 El ahogado suspiro de alivio que se le escapó a Genoveva me advirtió de que se me engañaba. Yo había tropezado con "la causa." Yo estaba queriendo aclarar los secretos del movimiento cristero y mi primo se convirtió en el general católico para cerrarme el camino. Me exasperó aquel muro que
35 se elevaba ante mí.

—Cornelio, fíjate en que te he hablado con franqueza—
le dije.—Me habría sido fácil sorprender el secreto sólo con
no decirte que lo ignoro. Pude haberte sonsacado sólo con
haber disimulado. Pero a ti jamás te engañaré. Te hablo de
hombre a hombre. Adoro a Pensativa, pero no me casaré 5
con ella, óyelo bien, no me casaré con ella sin antes conocer
todos sus secretos. Ayúdame, pues.

—Cásate a ojos cerrados con ella, que es una santa.

—Eso mismo me han dicho todos, pero no quiero casarme
con una santa, sino con una mujer que no me oculte nada. 10

—Pues yo nada sé de ningún secreto—me dijo Cornelio.

—Júrame que no sabes nada.

—Yo nunca juro—fué la respuesta.

Me desanimé. Vi perdido mi viaje y estuve a punto de
estallar, pero me contuve y pregunté dónde podía acostar- 15
me. Como el catre se lo dejamos a Genoveva, Cornelio y
yo nos acostamos sobre un montón de pieles y me dormí
pensando en que mañana sería el quince de julio y resuelto
a pasar ese día en la Huerta del Conde.

12

GENOVEVA PUSO UNA CARA DESPAVORIDA
cuando le anuncié, al amanecer, mi resolución de volver al
pueblo. Fidel empezó a gimotear, pero me mostré firme.

—¿Por qué te vas?—me preguntó Cornelio, con suspi-
5 cacia.

—Ya te vi y ya no tengo nada que seguir haciendo en tu
monasterio—repuse.—Si quieres volver a verme, sé amable y
baja a Santa Clara.

—Pero yo me siento enferma—arguyó Genoveva.

10 —Puedes quedarte. Yo me iré con Fidel.

—Patrón—exclamó Fidel—a mí me duele . . . el riñón.

—Entonces me iré solo.

—¿Pero por qué tanta prisa?—protestó Genoveva.

—Tuve un mal sueño. Vi que a Pensativa la amenazaba
15 una desgracia—mentí, deseoso de acabar la discusión.

Ya no encontré obstáculos. Genoveva se declaró sana,
Fidel se olvidó de su riñón y pude despedirme de Cornelio
sin sufrir ninguna resistencia.

Los caballos marchaban tranquilamente, sin hacer mucho
20 ruido, sobre las agujas doradas. El río, perdiéndose en los
cadozos, había dejado de sonar. Casi olvidé mis ansias, encantado de aquel paseo entre los árboles.

Reconocí el sitio en el que el día anterior habíamos co-

mido en nuestra jornada hacia las Piedras Coloradas y sentí
un vuelco en el corazón. Habíamos llegado. Por entre los
pinos vi, un poco más abajo, la tapia arruinada de la Huerta
del Conde y la superficie rizada de la Poza de los Cantores.
El sendero que corría entre la poza y la parte posterior de   5
la huerta era perfectamente visible.

—Hay gente allí—exclamé.

—El Señor nos ampare—lloriqueó la Chacha.

Fidel no quería ver. Me adelanté, salí del pinar y grité:

—¡Pensativa!   10

Era ella. Lancé mi caballo en una galopada. ¿Qué había
ido a hacer Pensativa, en aquella fecha siniestra, a la huerta
maldita? Corrí como en el día en que la salvé de la creciente, dominado por mis impulsos inescrutables.

—¡Pensativa!   15

Ella me miró acercarme como si yo hubiese sido un espectro. Basilio estaba a su lado y no disimuló su disgusto.
Hice avanzar a mi caballo por el sendero y pronto estuve
ante Pensativa. Desmonté y saludé.

—¿Qué hace usted aquí?—preguntó ella, tan agitada que   20
su voz sonó estridentemente.

—Vengo de visitar a Cornelio—repliqué.—Pero usted misma ¿qué ha venido a hacer a este sitio aborrecible?

Pensativa recobró la serenidad. Con un ademán me mostró, al otro lado de la tapia, allí caída casi por completo,   25
una encina cuyo follaje lanzaba su sombra hasta el sendero.

—En este sitio fué sacrificado mi hermano—me dijo.

Contemplé con emoción el árbol de cuyas ramas había
sido colgado el general Infante. La huerta se extendía ante
nosotros, solitaria y selvática. Basilio se inclinó y abriendo   30
un paquete fué sacando cirios.

—Pensativa—dijo la Chacha, llegando seguida de Fidel—
¿va usted a rezar?

—Sí, Chacha.

—¿Por quién?—pregunté audazmente.   35

Me arrepentí instantáneamente. Pensativa se había descolorido y Basilio se irguió con rabia.

—¿Por quién quiere usted que rece la señorita?—me preguntó el caporal.—Rezará por el general y por sus soldados.

5   Pensativa lo hizo callar.

—Rezaré por todos los que han muerto en este lugar—explicó.

Basilio encendió los cirios y los fijó en la piedra. Nos arrodillamos y respondimos las oraciones que guiaba Pensa-

10 tiva. Yo me sentía lúgubremente impresionado. La escena despedía un vago temor. Los cirios ardían con una llama rápida. La huerta murmuraba blandamente y abajo, en la poza, el agua corría sin murmullos.

Pensativa había llegado a la letanía.

15 —Ruega por ellos—respondimos.

Experimenté como un cosquilleo en la frente: el que me hubiera dado una mirada fija sobre mí.

—Nervios—me dije.

La voz de Pensativa se elevaba pausadamente. Yo estaba

20 alerta a no sé qué inquietud y me figuré que en la maleza había algo escondido y acechante. Observé con atención y vi, más allá de la encina, a una víbora negra, manchada de amarillo, que descendía por el tronco de un fresno y se perdía luego en la espesura. Me indigné.

25 —Me estoy volviendo miedoso como Fidel—me dije.

Ni aún así logré sacudir la aprensión. Mi memoria evocaba la terrible escena de la emboscada, los soldados lanzándose sobre los bañistas, la ametralladora barriendo el prado; después creí ver al general suspendido de la encina,

30 estremecido en la espantosa agonía y a Gustavo balaceándolo en el paroxismo de la ira. Y luego, al mismo Gustavo arrastrado por los vengadores y colgado de la encina. Me estremeció la visión de aquel árbol y de sus frutos espantosos.

35 Instintivamente puse los ojos en la maleza. ¡Pero allí hay

alguien! estuve a punto de gritar. Me dominé y me quedé con la duda, no queriendo esparcir el terror. ¿Qué podía haber en aquellos matorrales?

—Fantasías—me dije, pero sin poder desechar mis dudas.

El rosario terminó. Nos levantamos y dejando a los cirios 5 arder solitarios en la piedra, caminamos por el sendero hasta llegar al punto opuesto a aquél por el que Genoveva, Fidel y yo habíamos venido. Allí estaban los caballos de Pensativa y de Basilio, atados a un arbusto.

—Vámonos—dijo Genoveva, montando ayudada por Ba- 10 silio.

Fidel la imitó y se alejó unos pasos, tirando del ronzal de la mula. El sol caía a plomo. Pensativa miraba con fascinación la tapia derruída.

—Vámonos—le propuse, apiadado. 15

Ella empezó a esbozar una sonrisa. Y no la acabó. Creímos que el infierno iba a volcarse sobre la tierra, que los muertos volvían. No olvidaré jamás. Mil y mil veces resonará en mis oídos . . . Oiré siempre aquel grito atroz, de espantosa agonía. 20

13

FUÉ UN GRITO DE DELIRANTE ANGUSTIA. LO
recuerdo en las noches y el pelo se me eriza. Era el grito
de un hombre al que se asesina entre desesperadas congojas.
Y una tempestad de locura se abatió sobre nosotros.

5   Pensativa se dobló como un tallo roto. Oí voces y relin-
chos. Creí en una emboscada. De un salto de tigre, Basilio
se apoderó de Pensativa y se arrojó con ella sobre su caballo.
Me envolvía un torbellino y las imágenes flotaban despeda-
zadas en derredor. Los caballos partieron al galope. En el
10 último segundo alcancé el mío y partí como una flecha.

Fué una galopada feroz. En un instante dejamos el valle
y nos lanzamos en tromba por el viejo camino. Huíamos
echados sobre el cuello de los caballos, sin volver la cara,
perdidos de fiebre.

15 Fuí el primero en rehacerme.

—¡Genoveva!—grité.

Ella no me oyó, pero mi voz me volvió completamente al
mundo real. Vi entonces nuestra loca cabalgata. Fidel iba
desvergonzadamente a la cabeza. Lo seguía Basilio con su
20 ama en brazos y después iba la Chacha. El caballo de Pensativa, y la mula con los víveres, galopaban a mi zaga.

—¡Genoveva!—rugí.—¿Quién gritó?

—¡Corre!—contestó ella.

Arrojé mi montura hasta emparejarla con la de Genoveva.

—¿Quién gritó?

—¡El diablo!—clamó la Chacha.

Detuve en seco mi caballo.

—¿Sólo el diablo?—exclamé. 5

¿No había sido pues aquel grito una señal de asalto? ¿No había forajidos en la huerta? ¿Huíamos pues del diablo? La cólera me cegó. ¿Quién se había burlado de nosotros? ¿Quién había gritado para espantarnos?

Yo estaba solo. Los fugitivos iban lejos ya. Clavé las es- 10 puelas a mi caballo y lo lancé al galope, pero ahora en dirección de la Huerta del Conde.

Yo sabría. Yo quería saber, y sabría. Era quince de julio y la huerta tenía el secreto. Yo se lo arrancaría. Entré al galope al valle y no detuve a mi caballo sino hasta que me 15 vi ante las tapias. Dejé al caballo amarrado a un arbusto y seguí el sendero que minutos antes había recorrido con Pensativa. Así llegué a la escalera abierta en la roca y en cuya última grada seguían ardiendo los cirios. Allí me detuve, sorprendido. 20

Dos hombres estaban detenidos en el camino. El sol los recortaba vigorosamente. Me acerqué con lentitud, listo para repeler cualquier ataque, pero no vi que aquellas figuras miserables se movieran a mi aproximación.

Me detuve a unos pasos de los dos hombres y sentí una 25 profunda piedad. Sin duda los dos eran mendigos; su ropa caía en jirones y sus zapatos estaban destrozados.

—Buenas tardes—saludé, queriendo ser cortés.

Sólo uno de ellos volteó para verme. Se protegía la cabeza con un viejísimo sombrero de palma. Su semblante era 30 espantoso. Tenía la frente y las orejas cubiertas con vendas asquerosas; sus ojos lanzaban una mirada huidiza, de animal acorralado. Pero lo más atroz era su nariz. O bien dicho, su falta de nariz. Era un desnarigado aquel vagabundo del que brotaba un aliento satánico. 35

—Buenas tardes—repetí.

No recibí respuesta. Me acerqué más aún y entonces el segundo mendigo me mostró la cara. El corazón se puso a saltarme: aquel hombre era ciego.

5 Un ciego atroz, con las cuencas vacías y cicatrizadas. Nada era posible ver de aquel semblante, después de haber visto las dos heridas espantosas. Me hubiera gustado estar lejos de allí. ¡Un ciego, un ciego ante la Huerta del Conde, en el lugar en el que había sido ahorcado el hermano de 10 Pensativa y al que ella, que tanto se conmovía ante los ciegos, había llegado a orar! Tuve un presentimiento que me abrumó.

—¿Qué hacen ustedes aquí?—pregunté destempladamente.

15 Oí un murmullo inarticulado. El hombre de las vendas me tendió, con ademán casi imperioso, su sombrero de palma, en el que eché unas monedas. El ciego alzaba la cara con un gesto ansioso. Yo no sabía qué decir. Por fin me decidí:

20 —¿Han encontrado gente por aquí?

El desnarigado negó con la cabeza.

—¿Han entrado ustedes a la huerta?

Una sonrisa diabólica se extendió en su fisonomía degradada.

25 —No—dijo, con una voz rara, como si el mendigo se hubiera desacostumbrado a hablar.—Está maldita.

—¿Y no han oído ustedes un grito?

—¿Un grito? ¿Han gritado los fantasmas?

No quise preguntar nada más, rechazado por las dos figuras 30 repugnantes. Hice un ademán a guisa de adiós y seguí mi camino a lo largo de la tapia principal. Desde la esquina volví los ojos y encontré a los mendigos inmóviles en los rayos del sol poniente.

—Son asquerosos—me dije, encaminándome hacia el río.

35 Mi caballo seguía amarrado al arbusto. Monté, eché una

mirada al sendero, en el que los cirios se habían apagado y abandoné el valle.

Confieso que dejé aquel sitio con un placer que se hacía mayor a medida que mi cabalgadura me alejaba al trote. Nunca podría apartar de mi memoria la visita a la Huerta del Conde y tuve la sensación de haber escapado a un peligro mortal oculto en la arboleda. La sierra se me apareció más hermosa y el río más alegre. Y eso que yo de ningún modo iba victorioso. El enigma seguía en pie, acrecentado por el episodio de aquel grito delirante resonando en la espesura. ¿Quién había gritado junto a la Poza de los Cantores? ¿Qué ser maléfico se había agazapado entre los árboles para llenarnos de pánico? ¿Y por qué ese grito, por más espantoso que resultara, ejercía un efecto tan marcado sobre Pensativa y sobre Basilio?

—Algo significa el grito—pensé, dejando trotar a mi montura.—Pensativa y Basilio no se habrían asustado tanto y no nos hubieran contagiado a tal grado de su pánico, si el grito no formara parte de una historia siniestra como la misma huerta. Sí, sí, algo quiere decir ese grito que ha venido a espantarnos en una fecha que a todos parece aterrar y que ha atraído a Pensativa a orar junto a la poza.

¿Y los mendigos? Sentí la impresión del que en un juego está cerca de tocar el desenlace: me estaba quemando. ¡Los mendigos! O bien dicho ¿y el mendigo ciego? ¡Un ciego ante la Huerta del Conde, ante el recinto en el que había sido ahorcado y mutilado Carlos Infante!

—Me estoy quemando—exclamé, dominado por la impaciencia.

¿No eran los ciegos los seres que más impresionaban a Pensativa? Pues yo había encontrado uno en el sitio maldito, un ciego espantoso, que se acompañaba de un hombre desnarigado. ¿Qué historia infame era delatada por tantos temibles indicios?

En una revuelta del camino tuve un encuentro inesperado: Genoveva corrió a mi encuentro dando gritos de júbilo.

—¡Chacha!—exclamé.—¿Qué haces aquí?

—Por fin has vuelto—gritó ella.

5 Recibí un abrazo espasmódico.

—Se me hacía que no volverías nunca—exclamaba Genoveva.—¿Por qué te fuiste? He pasado una tarde de angustia, esperándote.

—¿Dónde están los demás?

10 —Estarán ya en la Rumorosa. Los dejé seguir corriendo y me quedé aquí, a esperarte. No pude acercarme a la huerta. ¿Tú fuiste hasta allá?

—Fuí a la huerta y la recorrí toda.

—¿Y? . . .

15 —No encontré nada.

—¡Nada!

—Miento—rectifiqué, escrutándola—algo encontré.

—¿Qué?

—Un ciego.

20 —Vámonos, vámonos—clamó Genoveva.

—Chacha, óyeme: encontré a dos mendigos en el camino que pasa frente a la huerta. Estaban fuera de las tapias ante la entrada principal. Uno de los mendigos está desnarigado.

—¿Desnarigado?—preguntó Genoveva, desorientada.

25 —El otro está ciego.

—¡Un ciego en la Huerta del Conde!

—Ante la Huerta del Conde. Y ahora, tú, Genoveva, tienes que decirme toda la verdad. Ya no admito disculpas. Comprendo que mentiste cuando me aseguraste que no sabías nada más. Hay una historia macabra, hay una continuación al relato de la muerte del general y si no consigo conocer esta continuación, mañana mismo regresaré a la capital.

Genoveva no ocultó su tristeza.

35 —No te irás—suspiró—porque yo te lo contaré todo. Es

algo muy feo, pero por fortuna—añadió con firmeza—Pensativa nada tuvo que ver directamente en esa historia.

—¿Pero sabré por qué teme tanto a los ciegos?

—Lo sabrás.

Respiré más libremente, porque en mi espíritu algo había empezado a levantarse contra Pensativa, una sospecha odiosa e indeterminada.

—¿Hoy mismo me lo contarás todo?

—Esta misma noche—prometió Genoveva.—Ahora, come algo. El miedo no me hizo olvidar la conveniencia de detener la mula con los víveres.

Me hizo reír su previsión y desmontando comí con apetito un pedazo de pollo y bebí un vaso de clarete. Genoveva sólo pudo beber un sorbo de vino. Estaba dominada por una pena creciente y era visible que la sierra le daba miedo.

—¡Qué grito!—comentó involuntariamente, al volver a montar a caballo.

—Es seguro que lo dió uno de los mendigos—le dije.

—Imposible—exclamó la Chacha.—Para eso habrían tenido que presenciar . . .

—Acaba, Chacha.

Ella no quiso añadir nada más y se puso ante mí para guiarme en el camino. La noche nos alcanzó pronto, pero Genoveva conocía la ruta perfectamente. Eran las diez de la noche cuando vimos en el horizonte las luces de Santa Clara de las Rocas.

14

AL APROXIMARNOS AL PUEBLO NOS SENTIMOS avasallados por la inquietud.

—No digas a nadie que viste a un ciego ante la huerta—me pidió Genoveva.

5 —Chacha ¿por qué no decirlo? Yo estoy convencido de que uno de los mendigos gritó para asustarnos. Nosotros oímos un grito: ése es un hecho innegable. Y como no encontré a nadie más que al par de limosneros, sólo uno de ellos pudo habernos jugado esa mala pasada.

10 —Pero eso es imposible—replicó Genoveva.—Eso querría decir que uno de ellos fué testigo ... Y los testigos o están muertos o viven muy en calma. Además, para que Basilio se haya asustado tanto, es preciso que el grito haya sido idéntico al otro.

15 —¿A cuál otro?

—Ya sabrás. No, no pueden haber sido los mendigos.

—Pero es que alguien gritó.

—Gritó ... él. Su espíritu vaga en la huerta. Es mejor que no cuentes nada. No harías sino empeorar las cosas.

20 Todos creerían que los mendigos que encontraste no eran seres de este mundo.

No pude reír e hice en silencio el resto del camino. Al llegar ante la Rumorosa comprendimos que algo sucedía en ella. Unos hombres nos salieron al encuentro. Eran Ireneo, Esteban y Fidel.

—Patrón, qué bueno que volvió—gritó Fidel.

—No me hables—le dije.—Eres un desvergonzado cobarde.

—Dígame lo que quiera, patrón, que yo sé que no soy 5 cobarde. Lo que pasa es que con los muertos no puedo. Ya ve usted que hasta Basilio echó a correr.

—¿Y dónde dejaste a la señorita?

—Aquí está, en la Rumorosa—intervino Esteban.

—¿Está enferma?—preguntó la Chacha. 10

—Tiene fiebre.

No esperamos más y entramos a la casa. Basilio nos vino a saludar, un Basilio febril, angustiado, que me miró como a un resucitado.

—La señorita está muy grave—dijo. 15

Entregamos los caballos a Fidel y nos dirigimos a la alcoba de Jovita, en la que había sido instalada Pensativa. Solamente Genoveva pudo entrar. El doctor López me detuvo en la puerta y me informó de la gravedad de Pensativa.

—¿La asustaron en la Huerta del Conde?—inquirió, qui- 20 tándose los lentes.

—Un susto terrible—respondí.—Doctor ¿corre peligro Pensativa?

—Sí, pero haremos lo posible por salvarla. Genoveva dice que recorriste la Huerta del Conde. 25

—La recorrí de extremo a extremo.

—¿Encontró algo, mi jefe?—preguntó Basilio.

—Encontré restos humanos y una fabulosa cantidad de serpientes.

—¿Quién crees que haya dado ese grito?—me preguntó el 30 doctor.

Me volví bruscamente hacia Basilio.

—En otra ocasión usted había oído ese mismo grito. ¿No es así?

—Sí, mi jefe. 35

—El hombre al que usted oyó en aquella ocasión ¿puede haber sido el mismo que gritó esta tarde?

—Aquél está bien muerto—protestó Basilio.

—¿Está usted seguro?

5   —Segurísimo. Se lo juro, mi jefe. Aquél murió.

—Pues cada vez veo con más claridad lo necesario que me es conocer estas historias, para formarme una opinión.

El doctor estaba visiblemente preocupado.

—Quince de julio—murmuró.—El aniversario . . . y el
10   grito.

—¿Qué preferiría usted?—le pregunté.—A un muerto o a un vivo dando gritos en la huerta.

—A un muerto—replicó el doctor, sin reír.

Genoveva salió de la habitación que ocupaba Pensativa.

15   —Chacha, esta noche me contarás esa historia—le recordé.

Esperaba una protesta, pero no fué así.

—Esta noche, sí, para que te estés tranquilo. Me hubiera gustado que ignoraras todas estas cosas, pero si no hay otro remedio, lo sabrás todo.

20   ¡Iba a saber! Me pareció increíble esta seguridad. Cené rápidamente con el médico y ambos aguardamos a Genoveva en el comedor. Se presentó acompañada de Basilio.

—Conste que te cuento esto a fuerza—dijo la Chacha, sentándose a mi lado.—Hay cosas que me gustaría olvidar,
25   pero creo que un espíritu endemoniado anda suelto en esta tierra. Tú bien podías ahorrarme este suplicio. Pero en fin . . .

—Chacha, déjate de exordios—pedí.—Es como si yo tuviera sed y tú me retiraras el agua.

30   —¿Te acuerdas de lo que te dije sobre cómo murió Carlos Infante?—preguntó ella.—Te lo conté todo, hasta el momento en que los federales se regresaron a Santa Clara. Basilio va a decirte lo que pasó después.

—La Chacha me refirió que a usted lo creyeron muerto
35   y lo arrojaron a la poza—le dije a Basilio.

—Pues cuando caí al agua, recobré el sentido. Me aguanté en la poza, aunque oí que los soldados se largaban, pero tenía miedo de que hubieran dejado vigilantes.

"Como pude me estanqué la sangre y así alcancé a que llegara la noche. Entonces me sumí en el agua y fuí a salir al otro lado de la poza, donde encontré a los amigos que habían escapado a la matanza. Me curaron y juramos venganza. No quise irme dejando sin enterrar a los muertos y esperamos el día. Con la luz, después de ver que no hubiera federales en la huerta ni en las cercanías, pues enterramos a mi general y a los demás colgados y luego, en el prado, les dimos sepultura a los que habían sido tumbados por las ametralladoras. Me pasé luego quince días muriéndome en las Piedras Coloradas, pero apenas estuve bueno agarramos el rumbo de Jalisco, porque no era posible que nos quedáramos sin jefe en esta tierra que no era la nuestra y porque en ese momento Santa Clara debía rebosar tropas. En las orillas del Lerma encontramos a mi general Cornelio, que acababa de asaltar un tren.

—¡Cornelio asaltando trenes!—exclamé.

—En la guerra se hace lo que se puede y todos los militares que anduvieron en la Revolución saben de asaltar trenes —replicó el caporal.—No se pelea con flores ni con discursos. Pues mi general, cuando supo que habían matado a mi general Infante, lloró y nos prometió vengarlo. Fuimos en busca de la Generala . . .

—Y la encontraron en las faldas del volcán de Colima—continuó la Chacha, interrumpiéndolo sin ceremonias.—La Generala estaba reuniendo su gente para apoderarse de Ciudad Guzmán, pero cambió de propósito cuando supo la muerte de Carlos.

—Se puso blanca como esa vela—dijo Basilio.

Genoveva le ordenó silencio con la mirada.

—Para la causa era un golpe muy duro—continuó ella—porque pocos hombres controlaban a su gente como la

controlaba Carlos. Además, había que evitar que se propagara entre los combatientes el miedo a las traiciones y que empezaran a desconfiarse unos de otros. El traidor debía ser castigado y la Generala decidió venir a nuestra
5 tierra.

—¿Y vino?—pregunté, más interesado.

—Vino. Se trajo a Cornelio, a Basilio y a los hombres que habían sido los más apegados al difunto. Entre ellos, el Desorejador. Hizo el viaje con la velocidad que sólo ella
10 sabía emplear en sus marchas y con un silencio absoluto. Todo el mundo la creía en Jalisco cuando ella estaba ya en las Piedras Coloradas. Una noche oí en mi ventana un toque especial. Me levanté corriendo y vi a dos hombres en el jardín. Uno de ellos era Cornelio.

15 "Me vestí, salí a abrir la puertecita del jardín y volví a mi recámara sin hacer el menor ruido y seguida de los dos hombres. La luz de mi cuarto me hizo ver que el compañero de Cornelio era una mujer.

"—Chacha—me dijo Cornelio—aquí tienes a la Generala.

20 "No te imaginas lo que sentí. Allí estaba ella, nuestra santa, la invencible, nuestra Juana de Arco, la que hacía temblar a los soldados del gobierno. ¡Qué valiente y temeraria era la Generala!

—¿Era guapa?—le pregunté a la Chacha.

25 —Era fea—exclamó Basilio, violento.

—Yo la vi hermosa—aclaró Genoveva.—Para mí jamás habrá habido una mujer tan hermosa como ella.

—¿Ni siquiera Pensativa?—interrogué.

—Ni siquiera Pensativa. Aquélla tenía una belleza mística,
30 santa. Era Juana de Arco, era la defensora de la Patria y de la Fe, la enviada de Dios para vencer a los perseguidores de la libertad de conciencia. No me atreví a abrazarla y le besé las manos.

"—Señora Genoveva—me dijo ella, sentándose—sé que
35 usted es una mujer valiente y que era amiga del general

Infante. Yo he venido para castigar a Gustavo Muñoz y quiero saber si usted está dispuesta a ayudarme.

"—De todo corazón, mi Generala—contesté.

"—¿Sabe usted si Muñoz sigue en Santa Clara?

"—Está con el infame Alacrán y todos los días lo veo pasar por la calzada, con gente de a caballo, muy jactancioso. Por cierto que después de asesinar al general, echaron al río a doña Ursula. A nosotras no nos han molestado porque nos defiende el Secretario del Ayuntamiento y porque hemos sido listas y ni Muñoz ni el Alacrán han podido demostrar que somos amigas de los cristeros.

"—¿Pasa con mucha gente?—preguntó Cornelio.

"—No pregunte usted eso—le dijo la Generala.—No se trata de atacarlo y de matarlo así nada más. Hay que sacar del pueblo a Muñoz y que llevarlo a la huerta. Mi plan es mejor y creo que ya es buena señal el que Muñoz no haya regresado a México. Dios lo ciega. En cuanto al Alacrán, no nos importa. El es simplemente un enemigo, pero no un Iscariote. Genoveva ¿tiene usted un hombre de confianza, que pueda presentar de repente en el pueblo a una hermana de la que nadie había oído hablar nunca?

"—Ireneo, el cochero de doña Enedina, es cristero a macha martillo y se sabe que tiene familia en Querétaro.

"—Bien. Pues a Ireneo le llegará antes de ocho días su hermana Carlota. A esa hermana será preciso acomodarla de criada en el pueblo, con gente nuestra.

"—Puedo acomodarla con el doctor López, que es amigo de la causa.

"—Perfectamente. Ahora, Cornelio—siguió la Generala —regrésese al campamento y no deje que se mueva un solo hombre. Al que dispare un tiro, cuélguelo.

"—Mi Generala—dijo Cornelio—acuérdese de que Muñoz la conoce.

"—Me conoció a la cabeza de la tropa, vestida de hombre y no me reconocerá en la hermana de Ireneo. Váyase ya.

"Cornelio se fué y la Generala durmió cuando mucho dos horas. Antes de que amaneciera me hizo despertar a Ireneo, que se puso de rodillas ante ella.

"—Ireneo—le dijo la Generala—de hoy en ocho irás a la estación a recibir a tu hermana Carlota, que viene de Querétaro a buscar tu amparo. Yo seré tu hermana.

"—Iré, mi Generala.

"—Ve a ensillar dos caballos—continuó ella.—Antes de que salga el sol tenemos que estar lejos de Santa Clara.

"Cuando Ireneo tuvo ensillados los caballos, la Generala se despidió de mí, montó y se fué guiada por el cochero, que no regresó a la Rumorosa sino hasta que pardeó la tarde. Me informó de que había dejado a la Generala en una estación muy apartada y que la había visto tomar el tren de México.

"Dos días después llegó una carta para Ireneo. Era de su hermana, que le pedía le consiguiera un destino cerca de donde él trabajaba. Con la carta en la mano fuí ostensiblemente a ver al doctor y le propuse que aceptara a una criada nueva. El se estaba admirando ya, cuando le dije quién sería la sirvienta; se entusiasmó, aceptó y se encargó de propalar, como sin darle importancia, la noticia de que iba a ayudar a Ireneo aceptando en su casa a la hermana. Ocho días después de la visita nocturna de la Generala a la Rumorosa, Ireneo fué a la estación y regresó a Santa Clara llevando a Carlota.

"Volvió a la Rumorosa después de haber dejado a su hermana en la casa del médico y llamándome con gran secreto me expresó su asombro por la transformación de la Generala. El doctor, que encontró el pretexto para visitarme al día siguiente, participaba del asombro.

"—Es una joyita—exclamaba.—Una chiquilla monísima, más tímida que ... ¿Cómo dijo usted, doctor?

El médico se puso a reír.

—Que una gacela. Y eso que en mi vida he visto a una

gacela. Pero ¡palabra! qué muchachita tan guapa era esa criadita. Imagínate, Roberto, una de esas chicas de rebozo de bolita, de arracadas, de ingenua sonrisa, que salen en los almanaques. Hasta dudé. ¿No estaría equivocada Genoveva? Pero esa misma tarde, Carlota entró a mi consultorio y me habló francamente. Ya no pude dudar. Carlota era la Generala. En mi consultorio la vi recuperar sus hábitos de mando. Me expuso sus intenciones, que francamente aprobé, porque la muerte de Carlos Infante me había llegado al alma.

La Generala hizo su servicio como cualquier sirvienta —prosiguió el doctor—pero buscando todas las oportunidades de hacerse ver. En un momento tuvo la mar de pretendientes. Rancheros y soldados, hijos de familia y hasta el abarrotero, la cortejaron ansiosamente. Ella mostraba una ingenuidad absoluta y sólo mostró preferencia por Muñoz. El pobre diablo no supo reconocer en la criadita a la intrépida Generala. Ahora sigue tú, Chacha.

—Pues Muñoz se enamoró—continuó Genoveva—y le llevó serenatas a Carlota. Ella aceptó el noviazgo y él, perdiendo los estribos, la colmó de cartas y de regalos. Se hubiera admirado mucho si hubiese visto a su novia recibir cada tercera noche a Cornelio o a Basilio, que acudían a tomar informes. El plan era sencillo y se cumplió al pie de la letra. Ireneo se fingió gravemente enfermo y Carlota obtuvo permiso del doctor para venir a la Rumorosa a cuidar a su hermano.

15

—EL PRIMER DÍA—SIGUIÓ DICIENDO LA CHA-
cha—Muñoz trajo la serenata con mucho acompañamiento.
El segundo y el tercero sucedió la misma cosa, pero el cuarto
fué distinto.

5 "Ese día se arriesgó a venir solo, porque Carlota había
aceptado salir de noche al jardincito. ¿Cómo iba a desconfiar de una candorosa muchachita que le demostraba un querer completo? ¿Y qué podría temer si desde la muerte de
Carlos la tierra en torno a Santa Clara estaba tranquila y
10 no se sabía nada de la presencia de cristeros en la sierra?

"Muñoz vino pues cerca de las once y abrió la puertecita
del jardín con la llave que le había entregado Carlota.
Avanzó con precaución y llegó al cenador donde lo esperaba
la criadita.

15 "—Carlota—murmuró, yendo a abrazarla.

"—No soy Carlota, sino la Generala—oyó que le decía su
novia.

"Ni tiempo tuvo de sacar la pistola, ni de gritar. Cornelio, Basilio y otros cristeros lo amordazaron, lo amarraron
20 y se lo llevaron. La Generala borró las huellas dentro y
fuera del jardín y volvió a la casa a seguir su papel.

"El Alacrán fué el primero que notó la desaparición de
su amigo y dió la alarma. El jefe de la guarnición no puso

96

mucho empeño en la búsqueda, porque le caían mal los dos esbirros. Interrogaron a Carlota, quien confesó que había estado esperando a Muñoz hasta la media noche y que viendo que no llegaba se había regresado a su cuarto.

"Tu tía, puesta de acuerdo, se llenó de cólera al saber 5 que tenía en su casa a una mujer tan coscolina. El doctor declaró que no recibiría nuevamente en su casa a una criada que daba citas nocturnas a su novio, y Carlota, cubierta de vergüenza, fué devuelta a Querétaro por su indignado hermano, que dejó la cama para ir a poner en el tren a la mu- 10 chacha. Se fué pues Carlota, y la desaparición de Muñoz acabó por ser olvidada, sobre todo después de que el Alacrán se marchó a la francesa, sin pagar ni la fonda.

Interrumpí a Genoveva para preguntarle:

—¿Se fué el Alacrán por el mismo camino que Muñoz? 15

—No, mi jefe—dijo Basilio.—El Alacrán se largó a escondidas, para no correr riesgo.

—Tanto mejor—dije.—Ahora, Chacha, sigue tú.

—Basilio podría contártelo mejor, puesto que él lo presenció todo. Pero ya que él no quiere hacerlo, seguiré con 20 la historia. Carlota llegó a Querétaro, pero de allí volvió a la Rumorosa por otro camino. En mi cuarto volvió a ser la Generala. Se vistió de hombre y a media noche, sola, se encaminó a las Piedras Coloradas.

—¡Qué mujer!—exclamé, cortando el relato.—Me hu- 25 biera gustado conocerla. Fuera° cual fuera la causa que la animaba, ella era digna de admiración.

—¿Verdad que sí?—dijo la Chacha, efusivamente.—Admirable y santa era ella. Para mí y para todos nosotros, fué una santa. Y ahí la tienes regresando a la sierra y dirigién- 30 dose al campamento. Su gente la recibió con entusiasmo. ¿Qué no hubieran hecho sus soldados por una mujer que corría todos los peligros por vengar a sus generales y que era tan lista que sabía burlarse de tal modo de los enemigos?

"Ella no quiso perder tiempo. Era el quince de julio . . . 35

Hizo montar a la tropa y bajó con ella hasta la Huerta del Conde. Muñoz iba ya medio muerto. Lloraba y pedía perdón, pero era necesario escarmentar a los traidores.

—Y sobre todo a los traidores imbéciles—dije—porque Muñoz se pasó de imbécil quedándose en Santa Clara después de su fechoría.

—La Generala lo hubiera sacado del mismo México—dijo Genoveva.—Así era ella. Ese quince de julio mostró su poder y su fiereza.

La Chacha se había dejado arrastrar por su entusiasmo, pero como si bruscamente hubiese tropezado con un obstáculo olvidado, se detuvo, cohibida.

—Sigue—le exigí.

—Sí, sí . . . Pues llegaron todos a la huerta, con Muñoz muy amarradito. Y era ya de tarde . . . Los cristeros pusieron centinelas en la entrada del valle y revisaron la huerta y el prado. Muñoz, para alargar su vida, pidió confesarse, pero no había sacerdote y sólo pudo hacer acto° de contrición. Ni pudo rezar ¿verdad, Basilio?

—Todo se le fué en decir: perdón, perdón—nos informó Basilio, con un gesto de burla—y aunque estaba amarrado se retorcía como un gusano y se arrastraba a los pies de la Generala.

—Debieron haberlo ahorcado sin tardanza—dije, afectado por los detalles.

—Eso iban a hacer—murmuró la Chacha—cuando el Desorejador . . .

—¿Qué?—pregunté, previendo una atrocidad.

La Chacha no respondió inmediatamente. Estaba visiblemente turbada. El silencio reinó unos instantes en el comedor, bañado en la dulce claridad de las lámparas.

—El Desorejador—continuó por fin Genoveva—dijo que no era posible matar inmediatamente a Muñoz.—¿Qué quieres decir?—le preguntó la Generala.—Pues que yo antes le voy a cortar las orejas.—Sí, sí—gritaron todos los hombres, menos Cornelio. La Generala los miró severamente.—Al general Infante no le cortaron las orejas—dijo—y a este hombre tampoco le serán cortadas.—Es cierto—la aprobaron todos. Y el mismo Muñoz respiró al saber que sólo sería ahorcado.

"Pero no contaba con el Desorejador.—Mi Generala—dijo—este hombre tiene que sufrir antes de irse al infierno. —Sufrirá la muerte—contestó la Generala.—Mátame, mi Generala—pidió el Desorejador—pero déjame cobrar la deuda. No murió sólo mi general, sino que con él cayeron veinte de sus hombres. ¿Por culpa de quién? Por culpa de este traidor de Muñoz. ¿Vamos a cobrar uno por veinte? ¿La vida, qué vale, mi Generala? Cualquiera se muere y eso no tiene chiste. Morir es fácil. Morir ahorcado ... Pues todos corremos ese riesgo y centenares de cristeros han sido ahorcados. No, la muerte solamente, no.

"—¡No, no!—gritaron todos los hombres.

"La Generala comprendió la gravedad del momento. Tú, Roberto, no conoces lo que son los ejércitos de campesinos. La disciplina los molesta y los hombres recuperan fácilmente la libertad. Es difícil contenerlos y con mucha frecuencia el general más poderoso tiene que humillarse y que obedecer a sus subordinados. La Generala comprendió que tenía que rendirse, porque de ningún modo la obedecería su gente si ésta se empeñaba en castigar a su manera a Muñoz.

"—¿Qué quieren que se le haga a este hombre?—preguntó.

"—Mi Generala—respondió el Desorejador—Muñoz le sacó los ojos al cadáver de mi general Infante. Lo mismo se le hará a él.

"—Acepto—respondió la Generala, a la que no podía importarle tanto que maltrataran a un cadáver.

"Pero el Desorejador era el hombre más rencoroso de la tierra.

"—Lo mismo le haremos a Muñoz—dijo—pero se lo haremos antes de que muera y así se cumplirá lo que le anunció

el general cuando lo iban a colgar: tu muerte será peor que
la mía.

"—¡Sí, sí, vivo!—gritaron los hombres, frenéticos.

"Muñoz empezó a aullar y a pedir misericordia. La Ge-
5 nerala y Cornelio ni intentaron imponerse. Ninguno de
ellos podía salvar a Muñoz y en cambio su autoridad podía
comprometerse. Los hombres habían perdido la cabeza y
se habrían rebelado. Entonces hubiera venido la ruina de
la tropa y lo que es peor, el desprestigio de la Generala. La
10 habían conocido resuelta, fuerte, implacable y hubiera sido
peligroso el que se dudara de su energía. La Generala aceptó
el suplicio.

—¡Aceptó!—exclamé, interrumpiendo a la Chacha.—Ya
no me parece admirable esa mujer que permitió . . .

15 —Permitió—dijo sordamente la Chacha.—Más aún, comprendiendo que si se marchaba todos verían en ella lo que
importaba que no vieran nunca, la mujer, el ser débil, se
quedó con sus hombres. Y el Desorejador cumplió su tarea.

—¡Cegó a Muñoz!

20 —Con un hierro al rojo.

—¡Qué horror!—grité.—¡Qué fieras!

—¿Qué facción no hizo salvajadas en esa época?—me preguntó el doctor.

—Pues malditas sean las facciones.

25 —Culpa a la intolerancia que dió origen a la guerra.

—Pues maldita sea la intolerancia. ¡Ah! doctor, qué salvajadas. Chacha, acaba esa historia infame. ¿Qué pasó después? ¿Ahorcaron a Muñoz?

—No, porque ya ciego, se soltó de los hombres que lo
30 sujetaban—dijo Basilio—y dando alaridos se metió corriendo
en la huerta. Yo quise seguirlo, para rematarlo aunque fuera
a balazos, pero la Generala me dijo: sostenme. Vi que se
estaba poniendo enferma y la ayudé a montar a caballo. Mi
general Cornelio se la llevó. Uno de los nuestros, Dimas, un
35 hombrón de Salamanca, se metió a la huerta siguiendo a

Muñoz y oímos cómo lo cazaba a balazos. Dimas salió de
nuevo y nos contó que había tumbado a Muñoz. Entonces
montamos y nos fuimos a las Piedras Coloradas.

—Allí estuvieron poco tiempo—continuó Genoveva—porque la guerra reclamaba nuevos esfuerzos. Al otro día, la   5
Generala se había dominado. No demostró rencor y vió
afirmada su autoridad. Dejó a Cornelio con la mayoría de
los hombres, entre ellos el Desorejador, y se volvió a Jalisco.

—Se volvió a Jalisco la espantosa fiera—comenté.—¡Qué
monstruo!   10

—Está muerta—contestó la Chacha, con tristeza.—No la
condenes. Y óyeme esto: para mí sigue siendo una santa.

No sé qué demonio me hizo preguntar—¿Dónde mataron a la Generala?

—En Morelia—contestó distraídamente Genoveva.   15

—Pues Basilio me había dicho que la mataron en Zapotlán.

—Así debe ser—replicó ella, encogiéndose de hombros.
—El gobierno procuró que los periódicos no hablaran de esa
muerte, para no alarmar a los jefes amnistiados, que fueron   20
cayendo uno a uno.

—Basilio—pregunté—el grito que oímos ayer junto a la
poza ¿le recordó a usted el que debe haber dado Muñoz
cuando lo cegaron?

—El grito de ayer fué igualito al otro.   25

—Ahora me lo explico todo—concluí.—¿Ves, Chacha?
¿Por qué me ocultabas la verdad? Ahora ya sé por qué la
pobre Pensativa le tiene horror a los ciegos. Sin duda se
acuerda de que al traidor que entregó a Carlos lo dejaron
ciego, y tamaño crimen la llena de angustia y la enloquece.   30
Y ahora ya puedo aspirar francamente a conseguir su mano.

Verdaderamente me sentía aligerado al comprender el
enigma. Todo ahora era transparente. Un alma sensible
como la de Pensativa tenía que sufrir al saber que la muerte
de su hermano había sido vengada de un modo tan feroz.   35

El drama de la Huerta del Conde, la bestialidad de los hombres armados, sobre todo la del Desorejador, la increíble tranquilidad de la Generala y de Cornelio, y el grito, el grito de congoja y de dolor, del desdichado Muñoz, habían 5 de planear sobre la vida de una mujer exquisita y de ensombrecerla quizá para siempre.

Quizá ella se ofrecía en expiación del crimen. Sí, indudablemente por eso Pensativa se aislaba y hacía una pobre vida en la hacienda desmantelada. La suya era un alma herida. 10 El mundo debía parecerle inhumano y cada hombre un monstruo. Y a veces, como en la tarde en que por primera vez visité el Plan de los Tordos, la visión del suplicio de Muñoz debía trastornarla hasta el punto de llevarla al cauce del río a esperar con la creciente la muerte.

16

MI AMOR CRECIÓ AL CONOCER LA VERDAD Y
pasé días de tortura mientras Pensativa yacía entre la vida
y la muerte. El doctor, mi prima y Genoveva hicieron pro-
digios en aquellas dos semanas de angustia. Pensativa deli-
raba. Yo rondaba su puerta, que se me había prohibido   5
franquear.

Los mozos del Plan de los Tordos venían por turnos a
buscar noticias. Se sentían llenos de espanto al oír de los
labios de Fidel el relato de lo sucedido en la huerta y no les
cabía duda de que el alma en pena de Muñoz había lanzado 10
el grito que había enfermado a la señorita. Su admiración
hacia mí había crecido al enterarse de mi visita a la huerta.

Basilio era el más ferviente en su admiración y cuando
podía librarse de su inquietud por la salud de su ama, se me
acercaba para decirme que a él primero lo hubieran hecho   15
trocitos que hacerlo entrar a la huerta el quince de julio.

—¿Vió usted algo?—me decía, poseído de un íntimo terror.—Nada ¿verdad? Ahí tiene usted cómo fué un alma en
pena la que gritó.

Yo no podía confesar que había visto a los mendigos. El   20
consejo de la Chacha pesaba sobre mí. ¿Qué hubieran pensado aquellos hombres si hubiesen sabido que yo había hablado, en el fatal aniversario, ante la huerta, con un ciego?

Habrían echado a volar otras fantasías no menos absurdas
y me habrían visto con pavor.

Pero precisamente la creencia de Basilio y de sus compañeros en lo sobrenatural aclaraba mis ideas.

5 —Fué uno de los mendigos—pensaba.—Sólo uno de ellos
pudo haber gritado. ¿Quién si no?

Y la pregunta venía naturalmente a mis labios:

—Basilio ¿murió Gustavo Muñoz?

—Sí, mi jefe. Lo mató Dimas, que era un gran tirador
10 y que le vació encima la pistola.

En esos instantes me sentía dominado por la curiosidad
y para satisfacerla, para enterarme de todos los detalles, escribí a un amigo que residía en Guadalajara, rogándole que
me informara de todas las circunstancias del asesinato de la
15 Generala. Al mismo tiempo hice pesquisas para averiguar la
suerte que había corrido el Alacrán, pero en Santa Clara sólo
pude saber que aquel hombre había desaparecido de la población dos días después del secuestro de Muñoz, dejando
su equipaje en la fonda. No me cupo duda de que mien-
20 tras la Generala, bajo el nombre de Carlota, había regresado
a Querétaro, alguno de sus hombres, quizá el mismo Desorejador, se había tomado el trabajo de liquidar al Alacrán.

Mas, en verdad, ya todo aquello no me hería sino la epidermis. ¿En° qué podían interesarme la muerte de la Gene-
25 rala, la desaparición del Alacrán, las salvajadas del Desorejador? Para mí sólo quedaba Pensativa. Conocía ya su
secreto, la causa de su melancolía y la veía libre de la misteriosa nube que la había mantenido fuera de mi alcance,
lejana y prohibida. Era simplemente una mujer, ya no la
30 diosa inasible. Mi amor corrió por un cauce tranquilo.

El doce de agosto pudimos transportar a la convaleciente
al jardincito. Oíamos reventar sobre la arboleda, llena del
perfume de las rosas, a los cohetes que anunciaban la fiesta°
de la santa patrona del pueblo.

—Corta para Pensativa las rosas más bonitas que encuentres—me ordenó mi tía.

Recorrí el jardín formando un ramo y llegué de este modo a una puertecita que se abría sobre el camino del Agua Zarca. Oí entonces, al otro lado de la tapia, un roce que se alejaba lentamente. No he podido explicarme por qué aquel rumor casi imperceptible me impacientó de tal modo; quizá porque aquella puertecita me recordó que por ella había entrado Gustavo Muñoz para caer en la trampa. Yo tenía la llave y me apresuré a usarla y a salir al campo.

Entre el sembrado y la tapia del jardincito, en el sendero que conducía a la calzada, había un hombre astroso, un mendigo que volvía hacia mí su cabeza envuelta en vendas. Era el desnarigado al que había encontrado ante la Huerta del Conde.

Sin hablar una palabra, me tendió su sombrero. Una súbita exasperación me poseyó.

—¿Qué hace usted aquí?—le pregunté al mendigo.

—Por° el amor de Dios—dijo él, fijando en los míos sus ojos llenos de maldad.

Pude dominarme.

—Tenga—le dije, echándole una moneda en el sombrero.
—¿Dónde dejó al ciego que lo acompañaba en la sierra?

—Se fué—respondió, con una voz sin acento.

—¿Cómo se llama ese hombre?—pregunté, mostrándole una moneda de plata.

Una sonrisa deshumana se dibujó en los labios del desnarigado.

—No sé.

—¿Dónde lo conoció usted?

—En la sierra.

—¿No es su amigo?

—No tengo amigos.

Había algo amenazador en sus palabras.

—¿Ha venido usted a pasar la fiesta en el pueblo?

—Las fiestas son buenas para los limosneros—replicó.

—¿Y por qué anda usted por esta vereda?

—Vine a robarme esos duraznos—contestó, señalando a una rama de duraznos que pasaba por encima de la tapia.

5 —Coja los que quiera. Y mejor pida, pero no robe, porque aunque usted sea limosnero y le falte la nariz, adentro hay gente que no se fijará en eso y que le dará una paliza si lo sorprende robando.

El desnarigado sonrió.

10 —Ya sé quiénes son—dijo, dando una vuelta y marchándose sin tomar los duraznos.

Quedé con un vago sentimiento de peligro, de fracaso. Ya no me parecía tan hermosa la mañana. Volví al jardín, cerré la puertecita y me dirigí al lugar en el que Pensativa 15 estaba acompañada de mi tía, de Jovita y de la Chacha. El sol le caía en la falda. Su cabeza estaba envuelta en un halo levemente dorado que yo veía brillar en pleno día.

—La defenderé contra todos—me dije, sin saber por qué hablaba así.

20 Al otro día me despertó muy temprano el estampido de los cohetes. Un nutrido campaneo anunció la fiesta de Santa Clara de Asís. Cuando salí al patio lo vi engalanado con guirnaldas de rosas. Casi todos los mozos del Plan de los Tordos estaban en la Rumorosa, ávidos de divertirse y 25 recibieron sin hacerse rogar el dinero que les repartí. Apenas hube almorzado tomé la volanta y me hice llevar al pueblo. Me acerqué a una de las danzas y vi a los indios bailar sin fatigarse, entre el revuelo de sus cintas y de sus enagüillas y el brillo de sus espejitos.

30 Unas risas ahogadas me distrajeron. Casi junto a mí se encontraban Esteban y Fidel.

—Patrón—me dijo Fidel—¿ya vió a Basilio? Está cumpliendo la manda que hizo por la salud de la señorita.

Me señaló a un danzante en el que reconocí a Basilio.

35 El caporal no se había cuidado de engalanarse y lo único que

había hecho, para disimularse un poco a los enemigos que lo habían visto entrar victorioso en la población, era ponerse una inmensa nariz de cartón. Bailaba con el mismo ritmo de los indios, clavando la vista en el empedrado, sacudiendo dos sonajas.

—Parece indio—dijo Fidel, que siempre se ha mostrado muy orgulloso de sus abuelos españoles.

Estuve largo rato contemplando la danza, sin ganas de reírme del caporal. La multitud ondulaba junto a mí. De repente eché de ver que otra persona seguía con reconcentrado interés los movimientos de Basilio. A dos pasos de mí se hallaba un hombre al que reconocí de golpe: era el mendigo desnarigado. Sus ojos llameaban, su boca de labios delgados se sacudía con pequeñas contracciones: un hálito de odio estremecía los horribles agujeros que eran su nariz.

—¿Por qué odia este hombre a Basilio?—me pregunté.

Examinando al desnarigado hice un descubrimiento que me petrificó por unos instantes: el mendigo no sólo estaba desnarigado, sino también desorejado. No cabía duda; las vendas que le cubrían casi toda la cabeza se habían corrido un poco y quedaba visible la mutilación de los pabellones. Como un relámpago, la última sospecha me consternó: ¡Basilio! Y aquel desnarigado era . . .

No quise quedarme con la menor duda y retrocediendo busqué quien me ayudara a esclarecer mi sospecha. En uno de los portales, vi a un borrachín conocido por Pipitillas, uno de esos infelices que miran como dioses a quienes pueden pagarle una copa. Me le acerqué y le pregunté si quería ganarse un peso.

—Lo que quiero es que vaya usted y a un desnarigado junto al cual me pondré, le diga de golpe: Alacrán.

—Por un peso puedo decirle más cosas—aceptó Pipitillas.

Me siguió dócilmente y cuando me vió junto al mutilado, se le acercó con sigilo.

—Alacrán—le dijo con fuerte voz.

El desnarigado dió un respingo y volteó rápidamente. Sus manos se crispaban ya sobre el aterrorizado Pipitillas, cuando me vió. Comprendió y lanzándome una mirada rabiosa desapareció en la multitud.

5 —¡Qué coraje le dió!—comentó Pipitillas.—¿Será aquel Alacrán que anduvo picando por aquí con los federales?

—El mismo y lo mejor que usted puede hacer es guardarse el secreto—contesté, pagándole y despidiéndome, queriendo pensar en el descubrimiento que había hecho. Puesto 10 que el desnarigado era el Alacrán, su compañero ciego era . . . ¿Pero será? me pregunté, deteniéndome en el portal. ¿Será Muñoz? ¡Oh! sí, sí y entonces el grito escuchado junto a la Poza de los Cantores era algo más que una travesura macabra, era una amenaza, el anuncio de un peligro.

15 Encontré a Fidel junto a la fuente de los Angeles, teniendo por la brida mi caballo ensillado. Monté, le di permiso al muchacho para quedarse en la fiesta y regresé a la Rumorosa. A la mitad del trayecto alcancé a Basilio, que se había bañado y cambiado de ropa en el pueblo, en la casa 20 de uno de sus antiguos camaradas y que volvía a la Rumorosa. No se le veía otra señal de fatiga que el color encendido de la cicatriz.

Su saludo fué cordial. Cuando lo felicité por su habilidad para la danza, sonrió.

25 —Y bailaré dentro de un año, mi jefe, cuando se haya usted casado con la señorita.

Yo estaba meditando en la conveniencia de participarle mi descubrimiento.

—Basilio—dije—¿está usted seguro de que murió Muñoz?

30 —Claro que sí, mi jefe—repuso, sorprendido de mi intempestiva pregunta.—A Dimas no se le pudo haber escapado.

—¿Y el Alacrán?

—Eso sí que no lo sé, mi jefe.

¿Mentía? Me cansé de dar tantos rodeos y quise poner 35 fuego a la mecha.

—Cuídese, Desorejador.

Basilio aulló y se irguió luego como un muñeco de resorte. Antes de que yo hubiese podido defenderme, él me agarró la pierna izquierda y de un tirón me sacó de la silla y me arrojó al suelo. Afortunadamente caí sobre el lodo. 5
El dolor me deslumbró. Cuando me di cuenta de lo que ocurría, ya estaba acostado bocarriba y tenía a Basilio montado sobre mi pecho, aullando, a tiempo que blandía su puñal sobre mi garganta.

La muerte estuvo muy cerca de mí aquella tarde. No me 10
atreví a moverme y presencié cómo Basilio quería no dejarse arrastrar por su furia y apartaba y acercaba a mi carne la punta del puñal. Jamás me pareció tan horroroso aquel salvaje.

De pronto se puso en pie y desapareció. Me senté, atur- 15
dido, con un terrible dolor en la espalda. Cuando mi mente se despejó, me sentí dominado por la cólera y levantándome quise encontrar a Basilio. Pero en vano recorrí la calzada, en vano interrogué a los viandantes. No pude dar con Basilio y llegué a la Rumorosa poseído de un increíble despecho. 20

En la casa me aguardaba una noticia que me hizo olvidar la bribonada de Basilio: Pensativa se había marchado al Plan de los Tordos.

—No hubo medio de detenerla—me explicó la Chacha. —Lo único que pudimos conseguir fué que no hiciera el 25
camino a caballo. Se fué en la volanta, con Ireneo.

Eché entonces de ver el sitio que Pensativa ocupaba en mi vida. La Rumorosa se me apareció triste, despojada de su espíritu. Ni en los peores días de la enfermedad de Pensativa había estado tan melancólica la vieja finca. Los 30
rayos del sol no brillaban con su antiguo esplendor.

—Genoveva—dije cuando llegó la noche—mañana por la mañana iré a la hacienda.

Me fuí a mi cuarto. Ya iba a acostarme, cuando oí golpe-

citos en la ventana. Apagué la luz y acercándome con precaución a los cristales, vi para el exterior.

—Mi jefe—me dijo Basilio, con voz tenue.

—¡Ah! canalla—exclamé.—Espérame, que voy a salir para
5 enseñarte a agarrarme a traición.

—Mi jefe, mi jefe—me suplicó—óigame un ratito. Abra
los vidrios, para que me oiga bien.

—¿Qué diablos quieres?—exclamé abriendo la ventana.

—Mi jefe, estoy lleno de pesar. Se lo juro por mi madre.
10 Se lo juro. Me cegué, mi jefe, pero usted tuvo la culpa.
¿Por qué me insultó?

—¿Que yo te insulté, grandísimo traidor? ¿Porque te di
el nombre con el que te conocieron los cristeros?

—Yo no soy el Desorejador, mi jefe. Créame. ¿De dónde
15 sacó usted esa idea? Por eso me cegué, mi jefe. ¿Qué quiere
que haga para que me perdone?

Me conmovió su voz. Pero ¿mentía al negar ser el Desorejador? ¿Por qué entonces lo miraba el Alacrán con tanto
odio?
20 —¿En verdad no es usted el Desorejador?

—En verdad, mi jefe.

Me sentí más tranquilo al oírlo.

—Tanto mejor, Basilio. Bien pues: está usted perdonado.
Es usted un loco y un salvaje, pero convengo en que yo tuve
25 la culpa de lo que sucedió. Y ahora, óigame esto: cuando
usted vea a un hombre desnarigado, cuídese.

—¿Un desnarigado?—preguntó en voz baja.

—Desnarigado y desorejado.

—¿Ha visto usted un hombre así?
30 —En la fiesta.

—¿Me vió él?

—Basilio, lo que le digo es para que se cuide y para que
cuide usted a la señorita, pero no para que cometa usted un
crimen. ¿Me entiende?
35 —Sí, mi jefe—respondió humildemente.

—No quiero saber de más barbaridades. Y ahora, voy a hacer que le abran el portón. Mañana mismo regresará usted a la hacienda. Su señorita ya está en el Plan de los Tordos.

—Me voy ahorita mismo—declaró Basilio.

Y en efecto, entró solamente a ensillar su caballo y sin más partió para la hacienda. Lo vi marcharse con placer, pues me parecía Pensativa más segura cuando para protegerla estaba su salvaje caporal.

17

NI AL OTRO DÍA NI AL SIGUIENTE PUDE IR AL
Plan de los Tordos. El primero porque habiendo sido invitado a comer el Coadjutor, no me pareció decente ausen-
tarme. Nunca será desagradable participar en la Rumorosa
5 de una comida preparada por Genoveva para algún monseñor.

Al otro día tampoco me fué posible visitar la hacienda,
porque el doctor López me había invitado a comer en su
ranchito de Las Calabazas. Los invitados devoramos bajo
10 los árboles una exquisita barbacoa y era ya tarde cuando emprendimos el regreso a Santa Clara.

El no haber visto en dos días a Pensativa me llenaba de
melancolía y al llegar al pueblo dejé adelantarse los coches
y seguí más despacio. De repente, al llegar a un bosquecillo,
15 escuché un disparo y sentí en el brazo izquierdo una quemadura.

El caballo se encabritó y lo dejé precipitarse hacia el
bosquecillo, a cuyo amparo saqué la pistola. No vi a nadie.
Piqué espuelas y corrí a lo largo de la tapia. En la esquina
20 de una calleja encontré un viejo sombrero de palma, sucio
y destrozado, al que reconocí instantáneamente: era el
sombrero del Alacrán.

Así, aquel mendigo quería asesinarme: el soplón, el espía,

112

el camarada de Muñoz, me aborrecía y no eran sólo Cornelio y Basilio los que corrían peligro, sino que yo mismo estaba en riesgo por el solo hecho de haber averiguado la presencia del esbirro en la comarca. Ardiendo en cólera recorrí las callejuelas inmediatas, pero no encontré otra 5 huella del desnarigado y tuve que volver a la Rumorosa.

Mi herida era un rozón del que nada quise decir en la casa y me limité a ordenar a Ireneo que estableciera alguna vigilancia y a aconsejarle que desconfiara de los mendigos. Mi sueño fué una sucesión de pesadillas. Al despertar en la 10 mañana, participé a mi tía, a Jovita y a la Chacha, mi resolución de no retrasar más mi declaración a Pensativa. Llegué a creerlas locas al verlas hacer extravagantes demostraciones de júbilo, pero confieso que yo también me sentía arrebatado al pensar en que por fin iba a confesarle a Pensa- 15 tiva mis sentimientos.

Monté a caballo a las diez, y partí seguido por Fidel. Al final de la calzada, el aspecto de la campiña, nuevamente entenebrecida por el nublado, me hizo recordar el atentado de la víspera. 20

—Fidel—le dije—te voy a confiar un secreto, porque es necesario que me ayudes a cuidarme. Pero tienes que jurarme que no lo revelarás.

El juró sin tardanza y pude referirle lo ocurrido en las afueras del pueblo. 25

—Si lo cuentas, te corro de la Rumorosa—lo amenacé.

Me hizo mil protestas y en verdad fué discreto, pero de allí en adelante, lleno de orgullo por la confianza que yo le había mostrado y de miedo ante la perspectiva de recibir un balazo, no dejó de examinar el camino y los campos, 30 con lo que llegó a marearme.

Encontramos a uno de los mozos de la hacienda vigilando en el mismo sitio en el que habíamos visto apostado a Esteban y alabé la prudencia de Basilio. Por fin llegamos a la hacienda. Pensativa me recibió en la asistencia y tomó con 35

agrado el ramo de flores que le entregué. Notando mi confusión, algo como una nube pasó por sus ojos. Me sentí
todavía menos animoso y dejé pasar la mañana sin aven-
turarme, cohibido por un respeto que a ratos me parecía
5 excesivo y a ratos me anonadaba.

—Soy un asno—me confesé cuando fuimos llamados para
comer.

En la cocina me reanimé. Las tres mujeres de servicio y
los inválidos parecían haber comprendido el objeto de mi
10 visita y ardían en deseos de festejarlo. Basilio me brindó
un vasito de tequila y le vi en los ojos un brillo de contento
y un deseo de animarme. Al terminar la comida, el café nos
fué servido en la asistencia, pero yo, antes de entrar, quise
hablar con Basilio. Lo llevé al fondo del corredor y le hice
15 saber que el Alacrán había disparado sobre mí. La cara de
Basilio se puso bermeja.

—Mi jefe, es necesario que yo busque a ese esbirro y le
dé el mate.

—No le he contado a usted lo del balazo—repliqué—para
20 hacer que se castigue al Alacrán, sino para que no cese la
vigilancia en derredor de la hacienda.

Aquella conversación no me servía sino de biombo, pues
lo que yo deseaba era sondear a Basilio y averiguar cuáles
eran las disposiciones de Pensativa hacia mí. Por eso agre-
25 gué, dudoso:

—Basilio ¿cree usted que si le pido a la señorita que se
case conmigo, ella no me rechazará?

A Basilio le bailaron los ojos.

—Arriésguese, mi jefe. Yo no más le digo a usted una
30 cosa: ella lo quiere. De eso estoy seguro.

Apartándome de Basilio, me dirigí a la asistencia con el
corazón resonante. Apenas consigo reconstituir la escena.
Me senté frente a Pensativa, conversé de cosas indiferentes
y a cada momento me noté más trastornado por aquel bello
35 semblante triste. Y de pronto, me incliné y hablé.

Pensativa me escuchó sin mover un músculo de su cara.
Cuando terminé, arrojó su mirada por la ventana, al campo.
Esperé. Vi que Pensativa sufría. Mi espera terminó cuando
ella volvió hacia mí su rostro conmovido por una pena indomeñable.

—Roberto, es un pesar para mí el que usted me haya
hablado de amor—me dijo con una voz velada pero firme.
—Yo no debo amar y jamás me casaré.

—¿Que no debe amar?—pregunté, envuelto en un dolor
fulgurante.

—Jamás me casaré. Estoy y debo estar fuera del mundo.
Hay cosas terribles que me apartan de la vida usual y que
me harán refugiarme, tarde o temprano, en un convento.

—Ya sé qué cosas son ésas que usted llama terribles y sé
que no tienen sino el valor que usted quiere darles. No es
posible que ellas nos separen.

—Roberto, perdóneme—repitió, con un acento tan resuelto que vi volarse mis esperanzas—pero no puedo casarme
y no me casaré.

A pesar de las dudas que antes me habían asaltado, yo,
en el fondo, estaba convencido de que Pensativa no me
negaría su mano. Y ahora, he aquí esta firme negativa detrás de la cual adiviné todo el peso de una resolución inquebrantable, largamente meditada. Todo había terminado.
Pensativa no me amaba. No debía amar. No se casaría y
terminaría por refugiarse en un convento. Sentí en la cabeza
un torbellino y no supe cómo salí de la asistencia ni cómo
pedí mi caballo.

Vi caras contristadas. No supe disimular ante los mozos.
Yo sólo podía repetirme que Pensativa me había rechazado
y mecánicamente, bajo la llovizna, emprendí la vuelta a la
Rumorosa.

En la Rumorosa se esparció la aflicción cuando desmonté
en el patio.

—Rechazado—avisé.

Procuré reír, pero mi pesar era demasiado profundo para permitirme el fingimiento.

Genoveva me abrazó y sin decir una palabra me llevó a la alcoba de mi tía y me hizo sentarme.

5 —No te desanimes—me pidió mi tía.—Pensativa reflexionará y mudará de parecer.

—Tía: en conciencia ¿crees que Pensativa me ha dejado esperanzas?

La pobre vieja no pudo contestarme y comprendí cómo 10 ella también veía liquidado el asunto. Jovita no pudo hacer mejor y únicamente la Chacha se animó a querer consolarme.

—Tienes razón al creer que Pensativa está resuelta a no casarse—me dijo.—Yo estoy convencida de que ella te quiere, 15 pero si se ha prohibido corresponderte, su resolución es sincera y firme. Sin embargo, yo no te digo que el caso está perdido. Todo lo contrario, un poco de paciencia puede hacer variar las cosas.

—¿Paciencia, Chacha?

20 —Paciencia, en efecto. Atiéndeme: Pensativa está resuelta a no casarse, pero va a suceder algo que la hará variar.

—¿Qué es lo que va a suceder?

—Algo que no quiero decirte, pero que se efectuará en pocos días. Fuí una tonta al dejar que te declararas a Pensa- 25 tiva antes de haberse realizado lo que espero. Todos los escrúpulos de Pensativa, todas sus resoluciones de quedarse soltera y de buscar después un convento, se las llevará el viento antes de una semana.

—¿Más misterios, Genoveva? ¡Ah! no, basta, basta ya de 30 enigmas. No quiero más secretos. No esperaré más, Chacha. Quiero a Pensativa, pero como no veo esperanza de ser correspondido, mañana mismo regresaré a México.

—Ten calma, ten calma. Mira: lo que espero es que lleguen el padre Ledesma y Cornelio. Ellos harán variar a 35 Pensativa.

—Todo eso es ridículo, Genoveva. A Pensativa nadie puede hacerla variar. Y yo ya no puedo esperar y seguir sufriendo.

Apenas cené. Una tristeza abrumadora caía sobre la Rumorosa y en toda la noche no pude conciliar el sueño. Al alba me levanté, anhelando que llegara el instante en que la volanta me dejaría en la estación. Para entristecer menos a las mujeres de la Rumorosa, me les presenté con un aire resuelto que supe conservar hasta que Ireneo anunció que había llegado el momento de partir. Los adioses fueron cortos y dolorosos. Le prohibí a Fidel que me acompañara hasta el tren y subí rápidamente al cochecito. El caballejo echó a trotar, el zaguán resonó al pasar la volanta y pronto rodamos en la calzada. Una sola vez agité el pañuelo hacia la Rumorosa, hacia las tres mujeres que flameaban los suyos.

Ireneo me evitó atravesar el pueblo llevándome por una vieja ruta solitaria y le agradecí esta atención que me libraba de sufrir miradas curiosas y adioses inoportunos. Cuando entramos al camino que conduce a la estación, la marcha se hizo más lenta, pues el caballo se hundía en el lodo.

No hablé, e involuntariamente comprobé la semejanza de mi llegada a Santa Clara, con la despedida. En ambas había experimentado igual melancolía y el campo se me había presentado hostil, repelente, enemigo de un hombre que se había pasado la vida en la ciudad. Aquella tierra ya no era mía. O yo no era ya de aquella tierra y había venido a ella sólo para sufrir.

En adelante, la placidez iba a volver a mi existencia. La capital me esperaba; mis amistades, mis libros, todos mis placeres, iban a amortiguar el dolor recibido en la tierra natal.

Era curioso, pero no sentía ningún deseo de tornar a mi antiguo modo de vivir. Me había acostumbrado a las emo-

ciones fuertes. ¿Podría dejar de luchar? ¿Acaso la única
vida no es una vida de pasión? Oí al agua murmurar entre
las rocas. Ella iba a entregarse a la poderosa corriente del
río y a olvidar los campos tranquilos para correr entre las
5 montañas y clamorear haciendo su camino hacia el mar.
¿Y yo?

—Para—le ordené a Ireneo.—Llévame otra vez a la Rumorosa.

Ireneo saltó de gozo e hizo trotar al caballo hacia Santa
10 Clara de las Rocas. Ya no vi hostil el campo. Era mío o yo
era de él. El viento zumbaba en mis oídos una canción bo-
rrascosa. ¡Aprisa! La volanta saltaba en las rodadas, el caballejo rompía los charcos, y un hombre surgió a caballo y
nos detuvo.

15 —¡Basilio!

El caporal se quitó el sombrero y me saludó cordialmente.

—¿Qué, mi jefe? ¿Ya no se va usted?

—No, Basilio. ¿Pero usted, qué hace aquí?

—Supe que usted se iba—respondió—y no lo quise creer.
20 Lo seguí de lejos y cuando lo vi regresar, pues grité: ¡ése es
mi jefe! Y ahora me voy al Plan, pero no sin antes decirle
a usted: no se desanime.

—No me desanimo.

El agitó el sombrero y clavando las espuelas a su caballo
25 se alejó a todo correr.

—Está loco—exclamé, contento.

Más locos se mostraron todos en la Rumorosa cuando la
volanta me dejó en el patio. Mi tía, Jovita y la Chacha corrieron a abrazarme. Y detrás de ellas, Cornelio.

30 —¡Tú aquí!—dije.—¿Pero qué milagro es éste?

—He venido a casarte con Pensativa—me respondió.

—¿Crees posible conseguir eso?—pregunté, excitado.

—Cornelio y el padre Ledesma convencerán a Pensativa—
dijo Genoveva, llevándome a la asistencia.

35 —Eso me parece muy conveniente—repliqué—aunque

para ser franco, diré que no resulta muy halagüeño para mí el que otros tengan que convencer a Pensativa de la conveniencia de darme su mano.

—Es que ella te quiere—contestó mi tía.—Lo que ocurre es que Pensativa se cree atada por los viejos sucesos.

—Creo que ésa es la verdad—asintió Cornelio.—Mira, primo: yo le preguntaré a Pensativa cuáles son sus sentimientos respecto a ti. A mí no me mentirá. Si no te quiere, punto final. Te irás a México y yo me volveré a las Piedras Coloradas. Pero si te quiere, entre el padre Ledesma y yo disiparemos sus escrúpulos.

—¡Oh! sí me quiere—afirmé.—Sí me quiere, primo. Yo lo sé perfectamente.

—Entonces, tranquilízate.

Genoveva sirvió unos vasitos de vino y todos brindamos por el éxito. Mi tristeza había desaparecido.

—Y a todo esto—pregunté—¿dónde está el padre?

—Ha ido a la parroquia—contestó Cornelio—a rezar a Santa Clara, pero estará aquí para la comida. No vayas a mostrarte muy extrañado por sus modales. Es un gran sacerdote. Yo no quise bajar a la Rumorosa sin saber si el padre vendría también. Ya adivinaba yo las dificultades que se te iban a presentar y lo esperé hasta que llegó a mi campamento.

Mientras el sacerdote volvía del pueblo, me llevé a Cornelio al jardincito y lo puse en guardia contra el Alacrán.

—¿Te quiso matar?—preguntó mi primo.—Pero ¿por qué a ti?

—Quiso callarme, puesto que yo lo había identificado en el pueblo.

Cornelio dió unos pasos bajo los duraznos.

—El Alacrán es más peligroso de lo que te imaginas—dijo después—y es necesario alejarlo de cualquier manera.

—Primo, esa frase: de cualquier manera, me desagrada. Te ruego que no uses tus procedimientos de guerrillero.

—Usaré procedimientos corteses—me prometió—pero si lo agarro, lo encerraré algún tiempo, hasta que te cases con Pensativa y te la lleves a México. Y ahora, vamos a ver si ya llegó el padre.

5 Entramos a la casa, pero sólo a la hora de la siesta regresó el sacerdote. Yo no había conseguido representarme al padre Ledesma y su figura ascética me impresionó. Su saludo fué poco amable.

—¿Usted es el pretendiente de Pensativa?—me preguntó, 10 taladrándome con la mirada.

Me incliné, intimidado.

—No me parece usted el mejor partido para ella—continuó.

—Creo que tiene usted razón, padre.

15 —Si eso que dice lo dijera sinceramente, ya no estaría usted aquí.

—Padre—intervino Genoveva, asustada—no hemos comido por esperarlo.

—Mal hecho. Pero ya que es así, comamos.

20 Nos dirigimos al comedor, cuya mesa bendijo el sacerdote. Me sorprendí de la sobriedad del padre Ledesma, quien bebió sólo agua y tomó únicamente un plato de frijoles. A los postres, cuando las criadas despejaron la mesa, el padre encendió un cigarro negro y me espetó su opinión 25 sobre mi persona.

—De plano, no me parece usted un buen partido para Pensativa. Ella tiene un alma sublime. Usted, en cambio, me parece excesivamente acostumbrado a una vida de placeres y de insulseces. Verdaderamente no me asombra que 30 Pensativa haya rechazado la mano de usted, según me ha contado la señora Genoveva. Es lamentable que la señorita Infante no se haya resuelto a seguir mi consejo de marcharse a un convento.

—¡A un convento!—protesté.

35 —Es el único sitio que a ella le conviene en estos tiempos.

El matrimonio siempre es un azar y más lo será para la altiva señorita Infante.

—Ella me ama, padre.

—Y sin embargo, lo ha rechazado.

—Me ha rechazado por escrúpulos morales. Yo comprendo que quiere expiar las . . . las hazañas de su hermano y que más que otra cosa la anonada el saber que al infeliz que vendió al general, una mujer terrible. . .

Me detuve, cohibido por la presencia de Cornelio.

—Acaba, primo—me dijo él, sonriendo—y un hombre despiadado como Cornelio permitieron que fuera dejado ciego.

—Perdóname—pedí—pero en efecto, ésa es mi opinión. Cometiste un gran pecado al no salvar a aquel infeliz. Y el pecado de la Generala fué mayor. Ella jamás debió haber tolerado semejante atrocidad.

—Vea usted esta cicatriz—me dijo el padre Ledesma, mostrándome su sien.—Es la que dejó el tiro de gracia. Me fusilaron en Celaya por el delito° de decir la santa misa.

—Padre, eso me hace abominar más la guerra civil. Detesto las luchas fratricidas y jamás las creeré necesarias, ni patrióticas, ni santas. Pero no es ésa la cuestión. Lo que yo afirmo es que Pensativa me ama.

—Lo sabremos pronto. Esta tarde iré con Cornelio al Plan de los Tordos y si Pensativa ha cometido el error de enamorarse de usted, si únicamente anormales escrúpulos le han hecho negarle su mano, esté usted seguro de que yo los disiparé.

A pesar de sus duras palabras, me hubiera gustado abrazar al férreo sacerdote, pero no respondí. Después de un breve almuerzo, el padre y Cornelio montaron a caballo y se marcharon al Plan de los Tordos bajo una lluvia fina y helada. Me sentí afiebrado y me pasé la tarde yendo de la calzada al jardincito; estuve irascible, incapaz de unir dos palabras o de hilar un pensamiento. Rodó el trueno y se desbordó el aguacero. Esa me pareció la prueba más ruda, pues sig-

nificaba que el río colmaría el vado y que el sacerdote y
Cornelio no podrían volver ese día. Los planes más desca-
bellados se sucedían en mi mente, cuando al anochecer oí a
dos caballos entrar al patio. Salí corriendo de la asistencia
5 y me precipité sobre Cornelio.

—¿Qué tal les fué? ¿Qué tal les fué?

Cornelio me abrazó con entusiasmo.

—Triunfamos, primo.

18

AL PRINCIPIO NO PUDE ENTENDER LO QUE
oía, después dudé, hice un diluvio de preguntas y sentí a la
Rumorosa valsar dentro de una girándula de fuego. El
mismo padre Ledesma sonrió al ver mi frenesí.

—Sí, un triunfo completo, señor mío—me dijo en la asis- 5
tencia.—Completo y para mí poco agradable. ¡Llevarse
usted a Pensativa, usted, uno de esos hombres sin partido,
un tibio, indigno! ¡Y ayudarlo Cornelio y yo!

—Maltráteme cuanto quiera, pero déme detalles.

—Sí, detalles—palmoteó Genoveva.—¿Verdad que Pensa- 10
tiva quiere a Roberto?

—Las mujeres tienen increíbles debilidades y Pensativa
tiene la de amarlo a usted—continuó el sacerdote.—Pero en
fin, lo quiere y acepta ser su esposa.

—Primo, Pensativa se había dejado dominar por los es- 15
crúpulos que tú adivinabas—dijo Cornelio.—El padre se los
quitó de raíz.

—No exactamente—protestó el padre.—Lo que hice fué
recordarle que el pasado es santo, que todo lo sucedido en
la guerra había sido en legítima defensa. A eso llama Cor- 20
nelio arrancar de raíz los escrúpulos. Ahora Pensativa no se
siente obligada a expiar lo que no fué crimen sino gloria.

—No discutiré eso—repuse.—El hecho es que Pensativa retira la negativa que me había dado.

—La retira. Ahora es usted el que debe decirnos si el pasado le importa o no, si lo ocurrido en la guerra le parece
5 deshonroso. Esta es una pregunta ridícula que sólo hago porque Pensativa me pidió que la hiciera.

—Pensativa es la más santa y la más pura de las mujeres— exclamé.

El padre Ledesma hundió en mí su mirada de acero y no
10 supe si en ella había contento o desprecio. Por cierto que nada me importaba ya lo que él pensara. Lo que yo quería era montar a caballo y galopar al Plan de los Tordos.

—Cálmese y permanezca aquí—me dijo el padre.—Su presencia en la hacienda no sería oportuna. Pensativa no es
15 una de esas muchachas modernas que el día en que conceden su mano se van a festejarlo al cabaret. Esta noche la va a pasar rezando.

Tuve que dormir en la Rumorosa, en la que mi tía, Jovita y la Chacha habían enloquecido de alegría, pero al amanecer
20 salí para la hacienda. Al final de la calzada oí un alegre saludo y vi a Basilio firme sobre su caballo.

—Comprendí que usted tomaría muy temprano el camino del Plan, mi jefe, y me vine a esperarlo.

Se lo agradecí con un apretón de manos y juntos hicimos
25 la ruta. Entré al galope en la casona, abandoné mi caballo y volé al corredor, en el que Pensativa me esperaba, una Pensativa conmovida, casi frágil, que deseaba y no conseguía disimular su emoción.

—El padre . . . Cornelio . . .—balbuceé.

30 No pude hablar y besé la mano que ella me tendía. Los mozos nos observaban en indiscreto y alegre grupo y en la puerta de la cocina lloraban las mujeres. Pensativa se encaminó a su pobre salita. La seguí temblando.

No me habló inmediatamente y de pie junto a los hie-
35 rros de la ventana contempló la meseta, en la que se alzaba

la neblina. Me aproximé a ella, pero respeté aquel silencio que sabía cargado de llanto. Y así era. Cuando Pensativa volvió sus ojos hacia mí, los vi rebosando lágrimas.

—Roberto, nunca pude esperar que un momento como éste llegara para mí. No creí conocer jamás una felicidad semejante.

—¿Qué felicidad no merece usted?—pregunté, tan trastornado que ni aún pensé en tutearla.

—Antier, cuando usted se fué, y yo creí que se iba para no volver, sufrí de un modo horrible.

—Pensativa, usted no habrá sufrido más que yo.

Una pálida sonrisa le iluminó el semblante.

—Usted se marchaba. Yo quedaba aquí y es peor quedarse. El pesar se redobla permaneciendo en el lugar donde se ha sufrido.

Sus palabras acabaron de trastornarme y ya no recuerdo bien lo que siguió. Sólo en la tarde, cuando Esteban nos llevó el café a la vieja glorieta, empecé a darme cuenta de mi felicidad.

—Nos casaremos sin tardanza—le dije a Pensativa.

—¿Tanta prisa?—preguntó ella, enrojeciendo.—No, no me gustaría un casamiento precipitado. ¿No cree mejor que sigamos las viejas costumbres, que imponen un largo noviazgo?

—¡Un largo noviazgo!

—Siquiera de unos meses.

—¡Meses!

—Aquí es el uso.

—Los usos los vamos a olvidar un poco.

—Pero no completamente.

En aquella discusión la vi más próxima a mi corazón. Las barreras iban cayendo. Ambos cedimos algo y acordamos casarnos en noviembre, el día° de San Carlos.

Con pesar me vi obligado a regresar a la Rumorosa, pues la decencia me impedía permanecer ahora en la hacienda

de mi prometida. Basilio me acompañó en la vuelta. Desde
el repecho volví la mirada y vi ahora un pañuelo blanco agi-
tándose en el zaguán.

No sentí el aguacero que nos alcanzó en la ruta, ni me
5 inquietó el vado y a punto fijo no sé si llovió y si pasé algún
vado. Basilio me dejó en la Rumorosa y regresó prestamente
a la hacienda.

¡Días de felicidad, días inolvidables, en los que el camino
del Plan de los Tordos me vió pasar envuelto en mi dicha!
10 Nunca creí que se pudiera ser tan feliz. Pensativa me des-
cubría su alma como una rosa va desplegándose y yo encontraba en ella un inagotable encanto. Ya no era ella la mujer
impenetrable, fiera, triste, que yo había conocido en la
Rumorosa. Como el viento barre las nubes y deja brillando
15 un cielo sin mácula, el amor libertaba a Pensativa de sus
antiguos duelos y la dejaba, casta y serena, transformada en
una mujer de la que fluía la ternura. Yo iba descubriendo
su espíritu pleno de dulzura, radiante y jamás un viaje por
las alturas de un espíritu ha podido ser más encantador.
20 Los días se llevaban hasta el recuerdo de las viejas amar-
guras y apenas si alguna sombra trasvolaba aquella frente.
Yo callaba entonces y me limitaba a besar una mano de
dedos ahusados, un pelo sedoso. La sombra se perdía y Pensativa recobraba la serenidad.
25 Pasaba septiembre y el buen tiempo se anunciaba. Llovía
menos y pronto hubo jornadas límpidas sobre las que el
otoño lanzaba ya sus áureos reflejos. Yo había dejado todos
los trámites en manos de Cornelio y del padre Ledesma.
Para sorpresa mía, ninguno de los dos había pensado en
30 marcharse. Mientras el sacerdote arreglaba los trámites en
la parroquia, en la que oí leer las amonestaciones, Cornelio
medía, por así decirlo, la población, deseoso de encontrar
al Alacrán.

Por más que hizo no pudo dar con el mendigo, que parecía haberse desvanecido con su compañero. No por eso disminuyó Cornelio la vigilancia de la Rumorosa ni acortó Basilio la del Plan de los Tordos. Había vigilantes en la calzada y en el camino del Agua Zarca. El mismo municipio, deseoso de tener paz con gente que como mi primo seguía siendo de temer, batió el pueblo buscando al Alacrán.

Noviembre llegó y vi a Pensativa, cuando arrancó la hoja del calendario, doblarse bajo un íntimo pesar.

—No me acostumbro a la felicidad—me explicó.

Su inquietud en los tres días que precedieron a la fiesta de San Carlos me alarmó. Llegué a creerla enferma.

—Tengo miedo—me dijo, respondiendo a mis preguntas.

—Miedo al pasado. ¿Olvidarás siempre, lo perdonarás todo?

—Todo está olvidado y nada tengo que perdonar—repuse.

—Sí, sí, nada; eso dice el padre Ledesma y él es un santo.

Sonrió y cambió de tema. Pensándolo bien, su agitación se me representó natural. ¿No iba Pensativa a cambiar totalmente su modo de vivir? Ya se había instalado en la Rumorosa y éste no era sino el primer paso en su nuevo camino.

Yo mismo me encontraba con los nervios alterados. Tantas sacudidas no habían pasado en vano y no en balde se aproximaba tanta dicha. Viendo a Genoveva afanada en la cocina, a Jovita coser constantemente; a mi tía dirigir el severo ornato de la casa, a Cornelio vigilar los alrededores y al padre Ledesma disponer el altar, me afiebraba y no podía permanecer tranquilo.

El matrimonio debía efectuarse al amanecer del día cuatro, en la sala de respeto. El día tres, en la siesta, el cartero me entregó una carta en cuyo sobre vi el matasellos de Guadalajara. Comprendí que era la respuesta de mi amigo a la carta en la que le había pedido informes sobre la muerte de la Generala, pero me sentí incapaz de leerla y desprovisto absolutamente de todo interés por conocer en detalle el fin de aquella terrible mujer que había sabido seducir y capturar a Muñoz y que había permitido a un abominable verdugo dejarlo ciego. Arrojé la carta sobre mi escritorio y seguí mi vana agitación.

5 La Rumorosa tenía una actividad desusada. En el exterior nada delataba la proximidad de un suceso que para nosotros era de tanta importancia. El zaguán y las ventanas permanecían cerradas y estoy convencido de que en Santa Clara de las Rocas nadie sospechaba la proximidad de lo 10 que para todo el pueblo, ya en murmullos por la lectura de las amonestaciones, hubiera sido un acontecimiento.

No se había repartido una sola invitación, pero Cornelio había convocado a algunos de los antiguos jefes cristeros y éstos fueron llegando al atardecer del día tres, a caballo, bien 15 armados, uno a uno. Me miraban con curiosidad y hablaban parca y cautelosamente.

Pensativa oraba con un fervor que me turbó. Me reproché no estar a su nivel y no ver el matrimonio, aun deseándolo de tal modo, aun habiendo puesto en él las esperanzas 20 de ser dichoso, un acto que aportara tan suprema emoción. La vi superior a mí, ferviente, llena de una pasión cuya grandeza era la medida de su corazón y me estremecí de placer comprendiendo que a mí iba a ser dedicado tan profundo sentimiento.

25 Después de la cena se hizo tertulia, que más pareció ejercicio cuaresmal. Los guerrilleros callaban y sólo el padre Ledesma iba refiriendo viejas hazañas, elogiando a los muertos, poniendo de relieve el espíritu que había animado la lucha. De vez en cuando interpelaba a alguno de los jefes 30 y éste respondía concisamente. Yo hubiera preferido otra víspera para la boda. Era yo el único de los concurrentes que no había participado en cualquier forma en la guerra y me veía condenado al silencio, apartado de Pensativa, rodeado de gente en la que un sentimiento fogoso se denun

ciaba por la tensión de los semblantes. Mi tía, Jovita y la Chacha, no eran las que oían con menor atención.

Me gustó que llegara el momento de ir a dormir. Me encerré en mi cuarto, en el que di vueltas como animal enjaulado. Apagué la luz y abrí la ventana. El aire frío silbaba sobre el campo sumergido en las tinieblas. La Rumorosa dormía profundamente. La vigilancia se había retirado de los alrededores, pues Cornelio juzgaba pasado el peligro de un nuevo atentado mientras permaneciéramos todos recogidos en la finca, y Pensativa deseaba que todos sus mozos presenciaran la boda.

Pensé que yo había vencido aquella tierra. Yo había sabido conquistar a Pensativa y la llevaría conmigo a olvidar en México los horrores que por tanto tiempo habían proyectado sobre su vida una sombra de pesadilla. Volveríamos a la Rumorosa sólo cuando Pensativa se hubiese hecho a su nueva existencia y las correrías de su hermano, los crímenes de la Generala, el suplicio de Muñoz, fuesen para ella empañadas visiones.

Como el frío me iba transiendo, cerré la ventana y encendí la luz. ¿Nunca terminaría la noche? Fumé, me acosté, me levanté, quise leer, pero no pude controlar mis nervios. De pronto me fijé en la carta que me había llegado de Guadalajara y la abrí esperando distraerme.

Mi amigo me escribía largamente. Había investigado en Zapotlán, en la misma Guadalajara, en todo Jalisco y podía asegurarme que la Generala no había muerto.

"Entrevisté a viejos cristeros que la conocieron y que hablan de ella con veneración y todos han negado la muerte de la Generala. La terrible mujer está oculta y estos fanáticos no pueden ni quieren imaginársela muerta. La adoran. Fué una mujer temeraria, dura, impávida, que apareció repentinamente en los campos de la lucha y que pronto se hizo conocer como la Generala, sin otro nombre. Apenas los íntimos conocieron el nombre de esa misteriosa mujer

que fué el alma de la guerra. La han comparado con Juana
de Arco, pero la Doncella de Orleans no fué jamás ni tan
intrépida ni tan despiadada como la Generala de los cristeros."

5   Al pronto no me pareció interesante la carta. Después vi
que la Chacha y Basilio me habían engañado. La Generala
no había muerto.

En otras circunstancias, la noticia me habría puesto a
meditar, pero en esa noche de espera, de impaciencia, me
10 dejó indiferente. ¿Qué me importaban la Generala y sus
cristeros? Mi boda iba a permitirme olvidar aquellas historias y el cristerismo y sus jefes ya no me importarían.

Eché la carta en un cajón de la cómoda y me acosté. Me
dormí de pronto, como si me hubiese abismado y sólo des-
15 perté cuando Basilio llamó a mi puerta.

Aún no alboreaba. Me levanté, encendí la luz y abrí la
puerta. Basilio entró para ayudarme a vestir. Lo vi desconocido, remozado, lleno de un regocijo que lo hacía llorar.
Llegó a besarme la mano.

20   —Mi jefe, desde ahora . . . pues desde ahora, con que me
diga usted: muérete, y me muero.

—Gracias, Basilio, pero jamás le diré eso a un amigo como
usted.

Fué entonces cuando me besó la mano. Me ayudaba
25 torpemente, como inhábil en tales menesteres. Llegó a
extrañarme.

—¿Quiere decirme algo?—le pregunté, viéndolo cohibirse
de un modo singular.

—Sí, algo—dijo. Y después, negó—Estoy loco, mi jefe.
30 Nada, pero nadita tengo que decirle.

Cornelio y el doctor López entraron para saludarme. La
casa resonaba opacamente con una actividad turbadora. Jovita, la Chacha, los criados y los mozos corrían con linternas
en el patio, transportando mesas y flores. Cuando salí al co-

rredor vi al padre Ledesma, precedido de cirios, encaminarse
a la sala. Los jefes se acercaron a saludarme.

—Vas a enamorarte todavía más de Pensativa—me dijo
Genoveva, acercándose rápidamente.—Está divina. Y me
ha encargado que te pregunte—añadió—si leíste la carta.   5

—¿La carta? ¡Ah sí, dile que ya la leí y que su contenido
no me interesó—respondí, preguntándome cómo se habría
enterado Pensativa de que me había llegado carta de Guadalajara.

Por fin llegó el momento de dirigirnos a la sala. Di el   10
brazo a mi tía y anduvimos, seguidos de los jefes, hasta la
puerta de la sala, en la que se agolpaban los mozos y las
criadas.

Todos mis recuerdos corren en torbellino. Entramos a la
sala y nos detuvimos cerca de la cerrada puerta de la asis-   15
tencia. Los concurrentes penetraron y se reunieron junto
al altar. Esperamos unos segundos. Y ahogué un grito de
admiración.

—¡Pensativa!

Ella se adelantó, del brazo de Cornelio. Jamás la había   20
visto yo vestida de blanco y un ángel no me habría causado
tan profunda conmoción. Sobre su frente caían los encajes
que mi madre había lucido en su boda, y temblaban los
azahares. Y en sus ojos ardía la felicidad en una llama serena.   25

Llegó junto a mí. Respiré su perfume. En un profundo
silencio avanzó el sacerdote. Ya estaba ante nosotros.

Y en ese instante se abrió la puerta de la asistencia y
apareció el Alacrán llevando del brazo al mendigo ciego.

Fué el Alacrán el que saludó y su saludo fué el rayo: 30

—Buenos días, mi Generala.

19

UN CLAMOR DE RABIA ESTALLO EN LA SALA Y los cristeros se agitaron como en una tempestad. Yo había saltado.

—¿Qué?—grité.

5 Mi grito dominó el tumulto. Se hizo un silencio repentino y trágico. Di un paso.

—¿Qué hacen aquí?—pregunté a gritos.

—Venimos a la boda de la Generala—contestó el Alacrán.

—¡La Generala!

10 —Buenos días—dijo el ciego.

¡Qué voz infame, endemoniada, destrozada! ¿Qué dolores no contenía aquel acento?

—¡Muñoz!—gritaron los cristeros, desenfundando las pistolas.

15 —Sí, Gustavo Muñoz—exclamó el ciego, acercándose lentamente, extendiendo sus brazos hacia adelante.—Mi Generala, vengo a tu boda. No me has invitado, pero a la boda de la Generala no podemos faltar los que la Generala dejó ciegos.

20 Se me erizó el cabello. Ahora comprendía. Todo se desgarraba rugiendo.

—La Generala . . .—murmuré.

Nadie podía disparar. Todos estaban pendientes de mí.

132

El ambiente quemaba. Muñoz seguía acercándose, sonriendo.

—Soy tu invitado de honor, mi Generala. Yo debo llevar la cola de tu traje. ¿Por qué no me mandaste invitación? ¿Me creías muerto? Morí sólo para la luz. Recuerdo tu cara de fiera. Lloré, te besé los pies, grité, grité, grité, pero fuiste inflexible. Pudiste salvarme. Tú me habías engañado en el pueblo. Eras mi novia, Generala.

Rió brutalmente.

—Eras mi novia. La Generala fué mi novia. ¡Qué bien sabes fingir! ¿Finges ahora? Al hombre que te ha traído al altar ¿le finges amor? Yo me enamoré de ti . . .

—¡Pensativa!—clamé, sintiendo a la realidad llenarme de dolor.—¿Tú eres la Generala?

—Sí, soy la Generala—dijo ella.

Me miraba fijamente, pero sin desafío. ¡Qué espantosa agonía brillaba en sus ojos!

—Fué la Generala, la reina de la muerte, la que ordenaba fusilamientos—dijo Muñoz, con una horrible mueca en su rostro devastado.—La que me enamoró, la que fué mi novia, la que me engañó y me llevó a la trampa.

—¡Pensativa!

—La que pudo salvarme. Le besé los pies, le grité, me retorcí de miedo, pero ella dejó que me cegaran. Recuerdo aquel fierro al rojo. ¡Al rojo! Ella puede ver aún lo rojo. ¡Y yo no, y yo no!

—Tú eres la Generala—exclamé.

—Yo soy la Generala. Y tú lo sabías ya. Te lo dije anoche, en la carta que te entregó Basilio y que a la Chacha le dijiste hace unos momentos que ya habías leído.

—Basilio no me entregó ninguna carta—protesté.—La que yo leí fué otra que recibí de Guadalajara.

Basilio se arrodilló, sollozando.

—Mi Generala, perdóname, pero no se la pude entregar. Tú lo estás viendo. Es cobarde. No pude dársela.

Pensativa lo miró con espanto. Yo retrocedí ante el vocerío que se había desatado y defendí al ciego y al desnarigado del asalto de los cristeros.

—¡Padre!—grité.—Ayúdeme a salvarlos.

5 Vi a la muerte a unos pasos de mí. Unicamente la intervención de Pensativa pudo detenerla.

—Guarden las armas—gritó.

Su voz los domó. Sus viejos subordinados la obedecieron temblando.

10 —Perdóname—me pidió, con una serenidad que ocultaba la tormenta.

—¡Tú eres la Generala!—repetí, sintiendo rondarme la locura.

—Sí, yo soy.

15 —Tú, Pensativa. ¡Tú! Tú eres la mujer que gritaba ¡síganme los hombres!

—Yo soy.

—Tú la que se disfrazó para engañar a Muñoz.

—Yo.

20 —Lo engañaste para asesinarlo.

—Lo engañé para ajusticiarlo.

—¡Tú! ¡Dios mío! ¿Cómo no me muero? Tú permitiste que dejaran ciego a este infeliz.

—Yo permití que dejaran ciego a ese traidor.

25 —¡Eres la Generala!

—Roberto, Roberto—gritó la Chacha.—Sólo queríamos tu felicidad.

Abracé a Genoveva y encontré en su abrazo valor para mirar a Pensativa.

30 La Generala se quitó lentamente el velo y los azahares. Sus hombres lloraron a gritos y se arrodillaron ante mí.

—¡Cásate con ella! ¡Es una santa!

—Silencio—les ordenó Pensativa y su imperio era tan grande que la obedecieron al instante. Sólo Basilio siguió

35 llorando.

—Mi jefe, mi jefe—suplicó de rodillas, besándome las manos.—Cásate con la Generala. ¡Te quiere, mi jefe! Es santa y gloriosa. ¿Quieres que me mate? Cásate y te prometo matarme.

—¡Fuera!—grité, ya sin saber a quién me dirigía.

—Mi jefe, mi jefe . . .

—¡Qué horror!—clamé.—La Generala y el Desorejador.

—¡Muera, muera!—gritaron los cristeros, amenazándome con las pistolas.

—Pensativa—dije.—No, no: Generala, tu gente va a cometer un nuevo crimen.

Ella hizo un ademán y sus gentes volvieron a callar.

—Perdóname—me pidió, con un tono de fatiga que me traspasó.—No quería causarte ningún mal. Jamás recibirás un mal de mí ni de mi gente.

Se volvió hacia sus hombres para decirles:

—Roberto y esos dos vagabundos son sagrados.

—¡Mueran!—dijeron sordamente los cristeros, mientras mi tía, Jovita, la Chacha y el doctor, enloquecidos, se acercaban para protegerme.

—No morirán. Yo lo ordeno. Yo, la Generala.

—Roberto—me dijo Pensativa—te juro que jamás quise engañarte. Anoche, contra la orden del padre, te escribí diciéndote la verdad.

—Mátame, mi Generala—pidió el Desorejador.

—Cuando Genoveva me dijo que habías leído la carta, me sentí libre y dichosa para siempre.

—Mátame, mátame—rogó Basilio, arañándose la cara.

—Soy la Generala. Por eso he vivido en el Plan de los Tordos, protegiendo a mis inválidos. Pero óyeme esto: puedo arrepentirme de lo que hice porque soy mujer y mis nervios me dominan, pero en verdad, nada de lo que hice fué malo.

—¿Nada?—gritó el ciego.

—Muñoz fué castigado por sus crímenes.

No me engañó Pensativa y comprendí que su resolución actual era una máscara echada sobre su desesperación.

—Temblabas ante los ciegos—le dije.

—Temblaba. Mis emociones dominan a mi razón. Pero
5 todo lo que hice lo volvería a hacer.

—¡Bien!—gritó su gente.

—Creí poder ser feliz en el matrimonio y acepté casarme contigo. Te amo. Eres mi único amor. Jamás te causaré voluntariamente el menor daño. Voy a desaparecer de tu
10 vida, pero no quiero irme sin tu perdón.

Me incliné, henchido de dolor. Oí pasos y cuando levanté los ojos sólo quedaba ante mí el padre Ledesma. A mi espalda se abrazaban Muñoz y el Alacrán.

—Villano cobarde—me dijo el padre Ledesma, a guisa de
15 despedida.—Miserable que no sabe admirar las acciones sublimes: vete de una tierra que has venido a entristecer.

Mi tía y el doctor vinieron a abrazarme, llorando. Oí abrir el portón y escuché luego pasar en tromba por la calzada, hacia el río, la cabalgata de los cristeros.

20 —Se fué la Generala—exclamó la Chacha, entrando deshecha en llanto.—Roberto, Roberto ¡cuánto mal has hecho!

—Genoveva—repliqué sombríamente—creo que también yo he recibido algún daño.

25 —¡Ella es una santa!

—Es la Generala.

—¿Y ésos, qué hacen aquí?—gritó Jovita, entrando convertida en una furia y señalando a los dos mendigos.—¡Fuera, fuera!

30 —Señor—me dijo el Alacrán—defiéndanos.

—Que los defienda el diablo—exclamé.—¡Fuera de aquí!

—Nos matarán, señor.

—¡Que los maten!—prorrumpieron las tres mujeres.

Hice un esfuerzo.

—¿Cómo entraron?—pregunté.

—Por el jardincito—dijo el Alacrán.—Usamos la llave que la Generala le dió a Gustavo cuando era su novia. ¡Qué chistoso haberla usado hoy!

—¿Y cómo pudieron llegar con tan espantosa oportunidad?

—Mucho tiempo nos estuvimos escondidos en el pueblo y después en el ladrillar y teníamos antiguos amigos, que habían sido muy maltratados por los cristeros, que nos informaban de todo. Supimos que usted se iba a casar y espiamos en la orilla del río. Cuando vi pasar a los jefes, dije: ya va a ser la boda. Y luego me imaginé: esta gente no le ha dicho al novio quién es su prometida. El odio me hizo adivino. Y me traje a Gustavo y como todos estaban listos para ver la boda, pues entramos sin muchos trabajos. Yo conocía la casa desde que viví aquí hace muchos años.

—Yo debía odiarlos—dije.—Pero no quiero más crímenes. Vengan.

Los llevé a mi cuarto, en el que me cambié la ropa y saliendo con ellos al patio ordené traer la volanta. Ireneo me obedeció sombríamente. Subí al cochecito, acomodé junto a mí a los mendigos y los conduje a Santa Clara.

—Perdóneme que quise matarlo—me pidió el Alacrán.— Pero no sabíamos que la Generala se había enamorado de usted y por poco me privo de una venganza mejor.

—Ojalá no te hubiera fallado la puntería—le dije, deteniéndome en la plaza del pueblo, llena del nuevo sol.—No hubiera tenido que sufrir esto. Y ahora, guárdense de los cristeros.

—Vamos a pedir que nos encierren en la cárcel—exclamó el Alacrán.

—Antes explíquenme algunas cosas—pedí.—Usted, Muñoz, dígame cómo se salvó de morir en la Huerta del Conde.

—Al que me seguía en la huerta le temblaba el pulso--

contestó el ciego.—Yo me desmayé del dolor que me causaban las quemaduras y mi perseguidor creyó que me había matado.

—Yo lo encontré después, en la sierra, corriendo como loco—dijo el Alacrán.—Lloraba a gritos. Y yo iba huyendo despavorido. El Desorejador me había llevado a la huerta y me había embellecido con su cuchillo. Al principio nada más quería cortarme las orejas, pero le llamó la atención mi nariz picuda y me la rebanó. Desde entonces Gustavo y yo no nos hemos separado y siempre hemos soñado nada más con la venganza.

—¿Usted fué el que gritó en la huerta el quince de julio último?—le pregunté a Muñoz.

—Yo mismo—replicó, sonriendo espasmódicamente.—El Alacrán me había llevado a la huerta, porque siempre habíamos tenido la esperanza de vengarnos en ese lugar y por eso el quince de julio regresábamos siempre a esta comarca. Estábamos en la espesura cuando llegaron ustedes.—Gritame dijo el Alacrán—como gritaste aquel día.—Y grité. ¡Y qué susto se llevaron ustedes!

.—Fué afortunado al no gritar cuando rezábamos—le dije—porque en ese momento no hubiéramos podido huir y habríamos hecho fuego.

—Por eso no grité hasta que llegaron ustedes a donde tenían los caballos—confesó.—No quiero morirme. ¡Cómo es bonito vivir!

Le di un latigazo al caballito y volví raudamente a la Rumorosa. En el patio de la Rumorosa entregué la volanta a Ireneo y me encaminé a la alcoba de mi tía. Besé la mano de la pobre vieja y le anuncié mi marcha.

—¿Te vas?—preguntó Genoveva, ahogada en llanto.

—Sí. ¿Qué puede detenerme en este lugar al que sólo vine para sufrir?

Me encerré en mi cuarto y sentí al dolor hacerme trizas el corazón.

Pensativa era la Generala. ¿Cómo no había sabido yo comprenderlo antes? Aquel miedo a los ciegos sólo podía experimentarlo la mujer que había permitido que se cegara a un hombre. Y yo había sido también un ciego.

¿Pero cómo no había yo sospechado? ... Di vueltas en mi cuarto, rabioso y amargado. Había tenido la verdad ante mis ojos. ¿Cómo no me los había abierto la carta de Guadalajara, el anuncio de que la Generala no había muerto? ¿Cómo no me había iluminado el respeto de Cornelio, la adoración de los mozos, la veneración del padre Ledesma? ¡Loco, ciego!

—Mi esposa la Generala—me dije.

Empecé a preparar mis maletas. ¡Huir! Amontoné los objetos, impaciente. ¡Olvidar!

Y luego, he aquí estas puñaladas. ¡Pensativa! Los ojos se me arrasaron de lágrimas. La vi mil y mil veces en un minuto: en la huerta de su hacienda, sirviéndome el café en las tacitas de porcelana; en la Rumorosa, convaleciendo en el jardincito; en el portón del Plan de los Tordos, diciéndome adiós.

¡Cómo la había amado! Pero las visiones seguían revoloteando. La vi vestida de blanco, lista para la boda. ¿Cuándo iba a poder olvidarla? ¿Cuándo iba a dejar de verla vestida de blanco, con los azahares ciñéndole la frente? ¡Pensativa! ¡Cómo había sonreído al entrar a la sala! No olvidaría yo jamás aquel brillo de dicha de su mirada. Su mirada ...

Me eché de bruces en la cama y me mordí los puños. Recordé su última mirada, cuando ya el huracán se había desatado. En el momento supremo, me había dicho: te amo. Me lo había dicho ante todos: eres mi único amor. Ella lo había dicho. Yo lo había oído. Me amaba y había creído alcanzar la dicha.

—¿Pero por qué lo había creído?—me dije.—¿Porque yo estaba engañado? ¿Porque yo ignoraba que ella era la Generala?

—No, no—me respondí.—Ella, desobedeciendo el mandato del sacerdote, me lo había confesado todo en una carta
que Basilio no había querido entregarme.

No me había querido engañar Pensativa. Temblé y me
5 incorporé en la cama. ¿Y qué, me dije, y qué? No había
querido engañarme, pero tampoco había podido borrar el
pasado. Y los fantasmas habían aparecido. Todas las con-
fesiones no hubieran podido evitar la catástrofe, pues yo
jamás me habría casado con la Generala.

10 Pero no pude irme. Del fondo de mi ser se elevaba un
grito: Pensativa. Yo la amaba, la seguía amando. Quise
resistir, pero mi amor galopó sobre mis ideas. ¡La amaba!
La vi de nuevo en una imagen fulgurante. Ella era mía,
era de mi alma, era mi alma misma. ¿Qué me importaba la
15 Generala? ¿Qué me importaban los guerrilleros, los verdu-
gos y los gritos de agonía? Yo amaba a Pensativa.

—Pero estoy loco—me dije.

Mi amor se burló de mi protesta. Yo no podía alejarme.
Yo tenía que recuperar a Pensativa. Yo era su esclavo.

20 Me pasé la mano por la frente y huí de mi cuarto, que
abrasaba como un horno.

—¿Qué tienes?—me preguntó el doctor, corriendo a verme
seguido por la Chacha.

—Que la amo todavía—repliqué.

25 —¡Un caballo!—gritó el doctor.

Genoveva y mi prima corrieron con Ireneo y con Fidel
a ensillar mi caballo. Mi tía lloró de dicha. Monté de
un salto.

—Corre—me dijo el doctor.—Corre, que aún puedes al-
30 canzarla.

—¿Alcanzarla?—me pregunté, mientras lanzaba mi montura por la calzada. Era imposible que el doctor pretendiera
que yo alcanzara a Pensativa en el camino del Plan de los
Tordos, pues ella y su cortejo estaban seguramente ya en
35 la vieja hacienda. ¿Pues qué había querido decir el doctor?

—¡Corre, corre!—le dije a mi caballo. Parecía que nunca íbamos a llegar al Plan de los Tordos.

Y al seguir un recodo, refrené mi montura y di un grito de espanto. Ante mí, más allá del repecho desde cuya altura yo había arrojado siempre una última mirada sobre la hacienda, se elevaba una gruesa columna de humo.

—¡Por Dios!—grité, aterrado.

Hundí las espuelas en el caballo, que salió volando. Era la hacienda la que estaba en llamas. Ardía el ala habitada por Pensativa y el humo se elevaba rectamente en el tranquilo ambiente. El ganado huía en los pastizales. Ante el zaguán, un grupo de hombres se agitaba aportando leña.

Volví a precipitar mi caballo y pronto estuve ante los hombres que incendiaban la finca. Me recibieron con gritos de rabia:

—¡Muera, muera!

Eran los antiguos mozos de Pensativa, pero ya no se mostraban cordiales, sino que me rodeaban amenazadoramente. Las mujeres eran las más animadas contra mí y blandían hoces al acercarse corriendo. Por fortuna Esteban se encontraba ante la hacienda; se interpuso entre el grupo y yo y se hizo oír:

—¡Acuérdense de que es sagrado!

Los inválidos se detuvieron, rugiendo.

—¡Que se largue! ¡Fuera, fuera el cobarde!

—Mi jefe—me dijo Esteban—¿a qué vino usted?

—Vengo a buscar a Pensativa.

Una furiosa carcajada sacudió a los inválidos.

—Muera, muera—gritó Lucía, enarbolando la hoz.

—¡Quiere burlarse otra vez de la Generala!—rugió Mariana.

Alcé las manos pidiendo silencio.

—No me burlo. Llévenme a donde está ella.

Oí risas y silbidos.

—Mi jefe, la Generala se fué y no volverá—me dijo Esteban.

—¿Se fué? ¿A dónde se fué?

—Nadie lo sabe. Se fué con los otros jefes y se despidió
5 de nosotros para siempre.

—¡Para siempre!—gritaron las mujeres y los inválidos,
entre sollozos.

—¿Dónde está Cornelio?—le dije a Esteban.

—Se fué a las Piedras Coloradas.

10 —Iré a verlo.

—No le dirá nada, mi jefe. Todos juraron, cuando se
lo pidió la Generala, no revelar nunca el sitio al que ella
se ha encaminado.

—¡Se fué para siempre!—gritó uno de los mozos, enlo-
15 quecido.—Usted la hizo llorar.

—La perdimos—voceó Mariana.

—Escúchenme—rogué.—Cometí un fatal error, del cual
estoy arrepentido. Vengo a pedirle a Pensativa que me
perdone.

20 —Ya es tarde—me dijeron, sofocados por el llanto y por
el odio.—Se fué y no volverá.

—Si ustedes me ayudan, la encontraré.

—No podemos ayudarle—me dijo Esteban, llorando.—
Se fué. Se despidió de nosotros. No volverá y nosotros nos
25 regresaremos a Jalisco.

—¡Huérfanos!—clamó Lucía.

—Se fué, se fué—gritaban los hombres.

—¡Muera ese canalla!—rugió Mariana.

—Es sagrado—volvió a exclamar Esteban.—¿Ya se olvida-
30 ron del juramento? Mi jefe, pierda la esperanza. Ella nos
hizo jurar que no le haríamos ningún mal a usted y se fué
con los jefes y con el Desorejador.

—Buscaré a los jefes y a Basilio.

—No los encontrará y además, nada le dirán. Lo abo-
35 rrecen, mi jefe. Lo odian con ganas.

—Todos lo odiamos—gritaron los inválidos.

—Váyase, mi jefe. Nosotros nos vamos. Nada tenemos que hacer aquí. Se fué la Generala y no queremos seguir en esta tierra. Vea cómo hemos quemado la hacienda.

Oí un gran estrépito y vi derrumbarse los techos de la 5 finca. Me pareció que Pensativa perecía con la casona, que desaparecía con las habitaciones donde la había admirado.

—Adiós, mi jefe—me dijo Esteban, sollozando.

—Vámonos—gritaron todos.

Se pusieron en marcha, dejándome con el corazón des- 10 trozado. Me sentí solo, desesperadamente solo, extraviado en la planicie.

—¡Pensativa!—grité.

El eco me respondió burlonamente. ¿Quién otro hubiera podido contestarme? Pensativa se había marchado y yo me 15 pregunté con desesperación:

—¿Para siempre?

20

FUÍ A LAS PIEDRAS COLORADAS Y QUISE CON-
mover a Cornelio.

—Primo—me respondió—yo te quiero y te comprendo;
por eso no te guardo rencor. Pero precisamente porque te
5 comprendo, Pensativa no quiso que yo la acompañara, para
que no supiera yo el lugar al que ha ido a refugiarse y en
un momento de flaqueza te lo fuera a decir.

—Yo la encontraré—dije.

Volví a la Rumorosa, sobre la que había caído un silencio
10 de duelo y desde ella dirigí las pesquisas, pero no pude recoger un solo indicio. Nadie sabía nada, aunque estoy convencido de que si los antiguos cristeros hubiesen sabido algo,
a ningún precio me lo hubieran dicho.

Llegó entonces la hora de regresar a México. No quise
15 partir sin ver de nuevo el Plan de los Tordos y lo visité un
día en que la neblina flotaba sobre los campos. El caserón
mostraba en su fachada las huellas del incendio. Me acerqué
lentamente a su portón, esperando un prodigio, anhelando
ver una figura querida, escuchar un acento inolvidable. Pero
20 no vi sino un gavilán que levantó el vuelo al oír mi llegada.
En el patio, el silencio pesaba como plomo. Recorrí los
corredores y me asomé a las habitaciones cuyos techos había
destruído el incendio.

Sólo encontré cenizas y un olor de muerte, de ruina eterna. La soledad, mi soledad, se me apareció en toda su dureza. Todo estaba terminado, arruinado; todo había pasado para mí. Salí aprisa y montando a caballo lo lancé al galope por el camino de regreso.

En la Rumorosa acorté los adioses y partí doblegado bajo el dolor. Amarga tierra había sido ésa para mí, y ni una sola vez volví los ojos para ver entre los árboles la fachada de mi vieja residencia.

La capital se me mostró fría, indiferente. No pude volver a mis antiguos hábitos, que ni un solo momento he conseguido recobrar. La imagen de Pensativa se presenta continuamente a mi recuerdo y arranca de mi espíritu la inclinación a los placeres. Durante dos años derramé el dinero en la búsqueda de Pensativa, pero nada conseguí saber.

Nuevas penas cayeron sobre mí. Un telegrama me anunció la muerte de mi tía y sentí que yo era un poco culpable de esa muerte, al haber sometido a tan rudas pruebas aquel viejo corazón. El doctor López murió poco después y Cornelio pereció cuando su caballo se hundió en un precipicio.

Encargué a Jovita el cuidado de la Rumorosa, a la que nunca he vuelto y le pedí a Genoveva que se viniera a vivir conmigo. La pobre Chacha aceptó y vino a México trayéndose a Fidel, al que he convertido en mi ayuda de cámara. Genoveva dirige la casa. Comprende cuánto sufro y hace lo posible por consolarme.

—Nosotras fuimos las culpables de lo que ocurrió—me dice frecuentemente.—Queríamos que te casaras con Pensativa primero; y luego, cuando estuvieras muy unido a ella, cuando ella te hubiese dado hijos, pensábamos decirte toda la verdad o por lo menos no temer que otros te la dijeran. No supimos lo que hacíamos. Pensativa quería confesártelo todo a tiempo y entre el padre Ledesma y nosotras cometimos la torpeza de impedírselo. Y cuando no pudo más y te escribió diciéndote la verdad, el pobre Basilio se guardó la carta.

Tres años después de la muerte de mi tía, la Chacha me avisó que una monja pedía verme. Su emoción me admiró.
5 Pasé a la sala, y después del saludo, la monja me indicó que me visitaba para darme un mensaje verbal de Sor° Asunción de las Divinas Llagas.

Hice un gesto de ignorancia, pero me sobresalté cuando la monja continuó:
10 —En el siglo, Sor Asunción se llamó Gabriela Infante.

—¡Pensativa!—exclamé.

—Así la llamaban—continuó la monja.

—¡Pensativa se ha hecho monja!—dije con dolor, sintiendo desvanecerse hasta la más obstinada de mis espe-
15 ranzas.

—Monja en el convento de Santa Walburga, en Bélgica.

—La he perdido para siempre.

—Cuando visité el convento para despedirme de las hermanas—reanudó mi visitante—Sor Asunción me encargó que
20 no me olvidara del encargo que ella me había hecho desde que entró novicia. Yo vivía en Bélgica cuidando a una señora mexicana, que murió hace tres meses. Conocí a la señorita Infante, y poco después, sabiendo que tarde o temprano yo tendría que regresar a México, me pidió que lo
25 buscara a usted y que en su nombre le pidiera perdón.

—¿Perdón?—pregunté, conmovido.—Hermana, yo soy quien debo pedírselo a Pensativa.

—El Señor es el único que conoce el secreto de las acciones y de los corazones—dijo la monja.—Sor Asunción teme
30 haberle hecho a usted mucho daño. Ella lo amaba a usted, señor. Me ha encargado que le explique a usted algunos puntos de su vida. Cuando Sor Asunción . . .

—Hermana—pedí—llámela usted Pensativa.

La monja accedió sin esfuerzo.

—Cuando Pensativa supo que su hermano se había lanzado a la guerra, lo siguió a Jalisco y como otras muchas mujeres combatió valerosamente. Pronto fué conocida como la Generala; adquirió fama de intrépida y fué obedecida ciegamente por los cristeros. Su nombre verdadero fué ocultado cuidadosamente para rodearla de los encantos del misterio.

—Muy pocos lo conocíamos—interrumpió Genoveva.— Los inválidos lo supieron después, por una indiscreción de Jovita, pero mientras duró la guerra ignoraron que Pensativa y Carlos eran hermanos.

—Ella ha visto siempre esa guerra como justa—continuó la monja.—Hubiera vivido tranquilamente después de terminada la lucha, si no hubiese sido por el recuerdo de la tortura infligida al hombre que traicionó a su hermano. Desde el quince de julio de 1928, Pensativa no encontró reposo. Los remordimientos la agobiaban y cuando concluyó la guerra se vió imposibilitada para hacer una vida normal. Por eso se refugió en la hacienda que usted conoció y que había sido por largo tiempo residencia de su familia. Cuando usted llegó a la Rumorosa, le desagradó a Pensativa con sus modales frívolos; ella lo creyó un hombre ligero, pero pronto cambió de impresión. Usted le salvó la vida cuando ella perdió la calma al encontrarse a un niño ciego y desde ese instante ella tuvo que combatir el amor que la empezaba a dominar.

—Pensativa se decía—prosiguió mi visitante—que nada firme podía haber entre usted y ella, porque usted se habría horrorizado al saber la parte que ella había tenido en el suplicio de Muñoz. Por eso se negó a corresponderle a usted cuando se le declaró en la hacienda y no fué ella la que sufrió menos al tener que rechazarlo. Para hacerla variar fueron necesarias las instancias de Cornelio, que tenía mucha influencia sobre ella, por su vida ascética, y sobre todo las palabras del padre Ledesma, que la convenció de

que podía y debía ocultarle a usted su antigua vida. Aceptó
pues casarse con usted, pero en la noche que precedió al
día en que la boda había de efectuarse, no pudo resolverse a
seguir callando y le escribió una carta en la que revelaba su
5 identidad.

"Esa carta se la confió a Basilio, para que se la entregara
a usted, pero el caporal comprendió de lo que se trataba y
tuvo mucho miedo de que la boda fuera a frustrarse. No la
entregó pues, aunque a Pensativa le aseguró lo contrario.
10 Lo que acabó de hacerla dichosa fué la respuesta que le dió
usted a la señora Genoveva cuando ésta le preguntó si había
leído usted la carta. Se sintió perdonada, limpia, nueva.
Por eso sufrió tanto cuando usted se horrorizó al saber que
ella había sido la Generala. Se tuvo como maldita. La apa-
15 rición de Muñoz, al que ella creía muerto; el horror de
usted, la destrozaron. Se sostuvo con una energía ficticia y
cuando llegó con su gente, huyendo a la hacienda, lo único
que pudo hacer fué obligar a todos a jurar que usted sería
siempre sagrado y que nadie le buscaría perjuicio. Y de la
20 hacienda se fué, con los jefes, a la sierra, donde se despidió
de todos y se fué procurando que se perdiera su pista. Pasó
a los Estados Unidos y de allí a Europa.

—Y la perdí—dije.—La perdí.

—¿Me autoriza usted—me pidió la monja—a escribirle
25 diciéndole que usted la ha perdonado?

—Que ella sea quien me perdone—exclamé, levantándome
y saliendo precipitadamente de la sala, para que la monja y
Genoveva no me vieran llorar

NOTES

★

P. 1, l. 8 su gesto aquel = aquel gesto suyo.

l. 19 México = México, D.F. (Distrito Federal), capital del país.

p. 2, l. 21 la guerra civil. In the Mexican Constitution of 1917, as in the previous Constitution of 1857, there are several anticlerical Articles: Article 3 forbids religious instruction in the primary schools; Article 5 orders the closing of convents and monasteries; Article 24 guarantees freedom of religion; Article 27 declares that all church property belongs to the nation; Article 130 authorizes state legislatures to limit the number of ministers according to local needs, and decrees that only native-born Mexicans may be ministers and that ministers may not vote, hold public office, assemble for political purposes, or criticize publicly or privately the nation's laws or government. The Catholic Church in Mexico was naturally opposed to these Articles of the Constitution, even though they were in large measure unenforced. In January, 1926, a letter was published, signed by all Mexican Archbishops and Bishops, repudiating these Articles. The government retaliated by closing the Catholic primary schools and convents, and requiring the registration of all priests, so that the foreign-born might be deported. On the day when the registration law went into force, July 31, 1926, all priests, acting on orders from their

149

bishops, refused to register, withdrew from the churches, and suspended all public religious services. At the same time, an organization of Catholic laymen, the National League of Defense of Religious Liberty, attempted to paralyze the economic and social life of the nation by a boycott. Small armed bands of religious partisans, called "cristeros," rose at once throughout the country, attacking villages, trains, and government troops.

p. 3, l. 31 cristeros, name given to those who actively aided the Church in the civil war. See Notes, p. 2, l. 21.

l. 34 los rojos o los azules, the two parties in the civil war.

p. 4, l. 11 lazo de la primera Comunión, a bow of white ribbon worn by children when they make their first Communion.

p. 6, l. 24 que = porque.

p. 9, l. 7 se vió en malas condiciones de fortuna = no tenía mucho dinero.

p. 10, l. 35 que = pero.

p. 12, l. 5 no me dejaré imponer = no permitiré que Vds. me impongan.

l. 9 que, omit in translation.

p. 15, l. 8 que se ofenda o no, me importa un comino, I don't give a hoot whether he's offended or not.

p. 17, l. 33 la paz. By July, 1927, the major part of the religious conflict (Notes, p. 2, l. 21) was over. The boycott had failed and the government forces were clearly victorious in the field. Tentative steps toward reconciliation were made, though armed bands of "cristeros" still fought on here and there for two years longer. In 1929, partly through the mediation of U. S. Ambassador Dwight Morrow, a truce was made and a general pardon issued by the government. The anticlerical laws were not repealed, but their enforcement was somewhat relaxed. Most of the priests consented to register, and public worship was resumed in the churches.

p. 18, l. 15 valiente como el que más, as brave as any man.

p. 19, l. 2 hacerse odiar, making herself hated. An infinitive after hacerse or dejarse has passive force.

p. 20, l. 4 la celada de Don Quijote, the helmet of Don Quixote, which he made of cardboard. He was so pleased with the job that he had to slash at it with his sword to try it out, and thereby he undid in a moment the work of a week.

p. 27, l. 21 ¿qué le dió por suicidarse?=¿por qué quiso suicidarse?

p. 29, l. 35 ¡Ave María Purísima! Hail, Mary most pure! A traditional Catholic salutation, which is answered by Sin pecado concebida, Conceived without sin.

p. 33, l. 22 el que no (era manco era)

p. 34, l. 3 lo que había de singular en, the strangeness of.

p. 37, l. 6 amnistía, pardon. See Notes, p. 17, l. 33.

p. 38, l. 35 La hubiera usted visto, You should have seen her.

p. 40, l. 5 No será viviendo . . . ella=No saldrá de su pobreza viviendo en esa soledad.

l. 7 no es como para que, is no reason that.

p. 44, l. 29 todo lo que de romántico había en, all the romantic side of.

p. 48, l. 26 que la señorita no lo sepa, don't let the young lady know.

p. 51, l. 1 Era verdaderamente Pensativa, Pensativa (Pensive) was really like her name.

l. 7 Que=Vd. dirá que.

p. 53, l. 18 que sea pronto, let's get it over with quickly.

p. 56, l. 33 afortunado en el juego, lucky at cards (unlucky in love).

p. 58, l. 5 por más cruel . . . presentarse, however cruel and painful the past might be.

p. 59, l. 24 no te casarás . . . casarte, if you don't marry Pensativa, it will be only because you don't want to marry.

p. 64, l. 16 Liga Nacional Defensora de la Libertad Religiosa. An organization of Catholic laymen; see Notes, p. 2, l. 21.

p. 69, 1. 5 que tan . . . Desorejador, for he was no more the brother of Gustavo than of the Ear-remover.

p. 70, 1. 27 Hubieran=Habrían.

p. 72, 1. 11 ¡Vaya que si estoy segura! What do you mean, am I sure!

p. 97, 1. 26 Fuera . . . animaba, Whatever the cause might be that urged her on.

p. 98, 1. 18 acto de contrición, act of contrition, a prayer of penitence after confession.

p. 104, 1. 24 ¿En qué podían interesarme . . . ? What interest could I have in . . . ?

1. 33 fiesta de la santa patrona del pueblo, the feast day of the holy patroness of the town (August 12). Saint Clare of Assisi, 1193-1253, was an Italian nun, follower of St. Francis and founder of the Order of the Poor Clares.

p. 105, 1. 19 Por el amor de Dios. This is the traditional cry of beggars.

p. 121, 1. 18 el delito de decir la santa misa, the crime of saying Holy Mass. During the civil war (Notes, p. 2, 1. 21), priests who had not registered were forbidden to conduct any religious services.

p. 125, 1. 33 día de San Carlos, feast day of 'St. Charles. St. Charles Borromeo, 1538-1584, an Italian Cardinal, a leader in the Catholic Counter-Reformation, and one of the great Catholic figures of the sixteenth century. His feast day is November 4. (Pensativa would choose this day, of course, in memory of her brother Charles.)

p. 146, 1. 6 Sor Asunción de las Divinas Llagas, Sister Assumption of the Divine Wounds. When a nun takes her final vows, she abandons her worldly name and takes a new, religious name. The Assumption refers to the bodily ascent of Mary into Heaven. It is commemorated on August 15, the Feast of the Assumption. The Divine Wounds are the wounds of Christ on the Cross.

CUESTIONARIO

CHAPTER 1

1. ¿Cómo son los recuerdos de la persona que habla? **2.** ¿De quién se acordará siempre? **3.** ¿Qué se oyó una vez en la Poza de los Cantores? **4.** ¿Dónde nació el que habla? **5.** ¿A dónde fué a vivir? **6.** ¿Por qué volvió a su pueblo natal? **7.** ¿Quién era Enedina? **8.** ¿Quién esperaba en la estación? **9.** ¿Con quién había jugado en la infancia el que habla? **10.** ¿Por qué lloraba la Chacha Genoveva? **11.** ¿Cómo estaba la tía Enedina? **12.** ¿Qué consejo le dió a Roberto el médico?

CHAPTER 2

1. ¿Por qué se sentía bien Roberto? **2.** ¿Para qué había venido Jovita? **3.** ¿Qué bebía Enedina cada mañana? **4.** ¿Qué hacían Roberto y Fidel por la mañana? **5.** ¿Qué decía del río Fidel? **6.** ¿Por qué había tantas solteras en Santa Clara? **7.** ¿Qué dijo la tía que le hizo reír a Roberto? **8.** ¿A quién alabaron mucho Enedina y Genoveva? **9.** ¿Qué sobrenombre le dieron a Gabriela Infante? **10.** ¿Por qué no había conocido Roberto a Pensativa? **11.** ¿Por qué había vuelto Pensativa a Santa Clara? **12.** ¿Qué merecía Pensativa, según Jovita? **13.** ¿Qué imprudencia dijo Jovita? **14.** ¿Cómo había muerto el hermano de Pensativa? **15.** ¿Por qué no conocían a Pensativa en el pueblo? **16.** ¿Por qué creía Roberto que no iba a venir Pensativa? **17.** ¿Dónde estaba el Plan de los Tordos? **18.** ¿Cómo estaban vestidos los dos jinetes? **19.** ¿Qué ocurrió en el momento en que se acercó Roberto a Pensativa?

153

CHAPTER 3

1. ¿Qué impresiones tenía Roberto al ver a Pensativa?
2. ¿Cómo era Basilio? 3. ¿Qué tocaba Basilio con la mano mientras estaba hablando con Roberto? 4. ¿A dónde había ido primero Pensativa? 5. ¿Por qué a Roberto le cubrió la boca Jovita? 6. ¿Qué alhaja llevaba Pensativa después de cambiar de ropa? 7. ¿Qué dijo Pensativa de los hombres de la ciudad? 8. ¿Qué dijo Pensativa de Basilio? 9. ¿Donde vivía Cornelio? 10. ¿Por qué no venía al pueblo Cornelio? 11. ¿Qué dijo Roberto que la ofendió mucho a Pensativa? 12. ¿Qué decidió evitar Roberto?

CHAPTER 4

1. ¿Qué dijo Roberto de su fuerza de resistencia? 2. ¿Qué quería saber el médico? 3. ¿Qué le aconsejó a Roberto el médico? 4. ¿Qué dijo el médico de la guerra civil? 5. ¿Qué pensaba Roberto después de conversar con el médico? 6. ¿Con qué intención salió Roberto a caballo? 7. ¿Con qué pretexto tomó el camino del Plan de los Tordos? 8. ¿Por qué estaban nerviosos los caballos? 9. ¿Qué le advirtió Fidel a Roberto? 10. ¿Qué le aconsejó Basilio a Roberto? 11. ¿Qué accidente le ocurrió a Basilio? 12. ¿Qué le pasó a un muchachito indio? 13. ¿Qué le dijo Roberto a Pensativa que la impresionó mucho? 14. ¿Qué fué a hacer Pensativa?

CHAPTER 5

1. ¿Qué hizo Pensativa cuando llegó a ella Roberto? 2. ¿Qué hizo Roberto luego? 3. ¿Qué hizo Basilio al llegar a Pensativa? 4. ¿Qué le hizo Basilio a Roberto? 5. ¿A qué pregunta no quiso responder Pensativa? 6. ¿Cómo se protegía de la lluvia Basilio? 7. ¿Qué le pareció a Roberto la casa de Pensativa? 8. ¿Qué quisieron hacer los chicos del Plan? 9. ¿Qué había en la pared de la sala? 10. ¿Qué dijo Pensativa que iban a comer? 11. ¿Qué le dijo Pensativa a Roberto de la muerte de su hermano? 12. ¿Quiénes habían vengado a Carlos?

13. ¿Por qué retiró Roberto su servilleta?   14. ¿A dónde fué a dormir Roberto?

CHAPTER 6

1. ¿Por qué había menos gente en el almuerzo?   2. ¿Qué sorpresa tuvo Roberto al mirar a las mujeres?   3. ¿Qué le dijo Pensativa de la Generala?   4. ¿Qué dijeron Pensativa y Basilio de la belleza de la Generala?   5. ¿Qué le dijeron de la muerte de la Generala?   6. ¿Quién lo acompañó en su viaje de vuelta? 7. ¿Qué dijo Esteban de la Generala?   8. ¿Qué contradicción había en las descripciones de la Generala?   9. ¿Qué no quería aceptar Esteban?   10. ¿Cómo reaccionó Esteban a la última pregunta de Roberto?

CHAPTER 7

1. ¿Por qué le recibieron a Roberto con júbilo las tres mujeres? 2. ¿A quién trató de sacar informes Roberto?   3. ¿Qué pretexto dió Jovita para irse?   4. ¿Cómo explicó Jovita lo de los ciegos?   5. ¿Qué descubrió Roberto en el pueblo?   6. ¿Quién era Gustavo Muñoz?   7. ¿Qué cosa fea había hecho Muñoz? 8. ¿Cómo creían que había muerto?   9. ¿Qué regalos llevó Roberto al Plan?   10. ¿Qué encontró Roberto mientras iba al Plan?   11. ¿Qué peligro corrió Roberto?   12. ¿Qué hizo Roberto al lazo de Basilio, y por qué?   13. ¿Cómo trató Roberto de impresionar a Pensativa?   14. ¿Qué servicio conmovió a Roberto?   15. ¿En qué futuro pensaba Pensativa?   16. ¿Qué futuro le propuso Roberto?

CHAPTER 8

1. ¿Por qué no había pensado en casarse Pensativa?   2. ¿Qué notaba Roberto siempre que los otros hablaban de sus recuerdos?   3. ¿Qué pensó Roberto cuando Basilio le pidió que saliera con él un momento?   4. ¿Por qué quería Basilio que Roberto lo perdonara?   5. ¿Qué quería saber Basilio?   6. ¿Qué prometió hacer Basilio si Roberto se casara con Pensativa? 7. ¿Dónde debían vivir Roberto y Pensativa después de casarse, y por qué?   8. ¿Por qué le molestaron a Roberto las recomen-

daciones de Basilio? 9. ¿Qué informe no quiso darle Basilio a Roberto? 10. ¿Qué le había pasado a Muñoz, según Basilio? 11. ¿Qué hicieron Roberto y los mozos después de acostarse Pensativa? 12. ¿Qué se negó a aceptar Basilio?

CHAPTER 9

1. ¿Qué anhelaba saber Roberto? 2. ¿Por qué lo acompañó Basilio? 3. ¿Qué le había pasado a doña Úrsula, y por qué? 4. ¿Dónde y cuándo había visto Roberto las cinco cruces? 5. ¿Qué le dijo Basilio de las cruces? 6. ¿Por qué quería Genoveva aplazar el viaje a Cornelio? 7. ¿Qué hicieron Genoveva y Fidel al llegar a la Huerta del Conde? 8. ¿Por qué no quisieron detenerse en la Huerta?

CHAPTER 10

1. ¿Qué ayuda dieron a los rebeldes las mujeres de la Rumorosa? 2. ¿Quién se presentó a la puerta un día, y qué traía? 3. ¿Qué decía la carta? 4. ¿Por qué desconfió Genoveva de Muñoz? 5. ¿Qué orden les había dado Carlos, y por qué? 6. ¿Qué auxilio le negó Genoveva a Muñoz? 7. ¿A quién había traído Muñoz consigo? 8. ¿Qué le mostró a Genoveva el Alacrán, y qué hizo luego? 9. ¿Cómo logró Muñoz encontrar a Carlos? 10. ¿Qué pretexto dió Muñoz para juntarse con Carlos? 11. ¿Qué crueldades hacía el que llamaban el Desorejador? 12. ¿Qué mensaje de Muñoz llevó doña Úrsula al Alacrán? 13. ¿Qué significaba el mensaje? 14. ¿Cómo logró Muñoz que los otros estuvieran sin armas? 15. ¿Qué pasó mientras se estaban bañando? 16. ¿Qué le dijo Carlos a Muñoz antes de morir? 17. ¿Cómo se escapó de la muerte Basilio?

CHAPTER 11

1. ¿Qué misterios quedaban sin explicar? 2. ¿Qué retrato vió Roberto en el cuarto de Cornelio? 3. ¿Qué le rogó Genoveva a Roberto? 4. ¿Qué cosas ya sabía Roberto de la Huerta del Conde? 5. ¿Cómo respondió Cornelio a las preguntas de Roberto? 6. ¿Qué le aconsejó Cornelio a Roberto? 7. ¿Qué resolvió hacer Roberto al día siguiente?

CHAPTER 12

1. ¿Qué pretextos dieron Genoveva y Fidel para no volver el día quince? **2.** ¿Cómo logró Roberto que lo acompañaran? **3.** ¿A quiénes encontraron en la huerta? **4.** ¿Qué árbol le mostró Pensativa a Roberto? **5.** ¿Para qué había ido Pensativa a la huerta? **6.** ¿Por quiénes iba a rezar? **7.** ¿Qué impresión tuvo Roberto durante la letanía? **8.** ¿Qué pasó en el momento en que montaban a caballo?

CHAPTER 13

1. ¿Qué hicieron todos al oír el grito? **2.** ¿Qué hizo Roberto a la mitad del camino? **3.** ¿A quiénes encontró en la huerta? **4.** ¿Qué parecían ser los dos hombres? **5.** ¿Cómo estaban mutilados los dos? **6.** ¿Qué le tendió uno de los hombres? **7.** ¿Por qué no habían querido entrar en la huerta? **8.** ¿Qué pensaba Roberto al salir de la huerta? **9.** ¿A quién encontró esperándolo en el camino? **10.** ¿Qué promesa le dió Genoveva?

CHAPTER 14

1. ¿Por qué no creía Genoveva que hubiera dado el grito uno de los mendigos? **2.** ¿Qué supieron al llegar a la Rumorosa? **3.** ¿Qué preferencia extraña indicó el médico? **4.** ¿Qué le había pasado a Basilio después que lo arrojaron a la poza? **5.** ¿Por qué había salido luego de Santa Clara? **6.** ¿Qué estaba haciendo Cornelio cuando lo encontró Basilio? **7.** ¿Para qué llegó la Generala a Santa Clara? **8.** ¿Qué noticias había de Muñoz y del Alacrán? **9.** ¿Cuál fué el plan de la Generala para coger a Muñoz? **10.** ¿Qué peligro había en el plan? **11.** ¿Qué nombre iba a llevar la Generala? **12.** ¿Quién sería su hermano fingido? **13.** ¿Con quién buscó un puesto de criada? **14.** ¿Qué ocurrió poco después de llegar Carlota? **15.** ¿Para qué fué Carlota a vivir a la Rumorosa?

CHAPTER 15

1. ¿Por qué llegó Muñoz solo el cuarto día? **2.** ¿Qué le dijo Carlota cuando llegó al cenador? **3.** ¿Por qué fué despedida

Carlota? 4. ¿Qué hizo Carlota luego? 5. ¿En qué fecha llegó ella al campamento? 6. ¿Por qué no mataron en seguida a Muñoz? 7. ¿Qué argumentos usó el Desorejador? 8. ¿Por qué tuvo que aceptar la Generala la venganza del Desorejador? 9. ¿Por qué no ahorcaron a Muñoz después de dejarlo ciego? 10. ¿Dónde dijeron que se murió la Generala? 11. ¿Qué sentía Roberto después de oír la historia del quince de julio?

CHAPTER 16

1. ¿Qué dudas tenía Roberto aun después de saber la verdad? 2. ¿Qué escribió Roberto a un amigo en Guadalajara? 3. ¿Qué fiesta se celebró el doce de agosto? 4. ¿Qué estaba recogiendo Roberto en el jardín? 5. ¿Qué ruido oyó? 6. ¿Quién estaba al otro lado de la puertecita? 7. ¿Qué pretexto dió éste por su presencia allí? 8. ¿Por qué estaba bailando Basilio en el pueblo? 9. ¿Quién estaba mirando con odio a Basilio? 10. ¿Qué hizo el borrachín, y con qué resultado? 11. ¿Qué le dijo Roberto a Basilio, y cómo reaccionó éste? 12. ¿Qué noticia le esperó a Roberto en la Rumorosa? 13. ¿Quién llamó a la ventana de Roberto aquella noche? 14. ¿Qué le advirtió Roberto a Basilio?

CHAPTER 17

1. ¿Por qué pasó Roberto dos días sin ir al Plan de los Tordos? 2. ¿Qué le pasó el segundo día mientras volvía al pueblo? 3. ¿Cómo sabía quién le había disparado el tiro? 4. ¿Por qué contó Roberto lo del balazo a Fidel y a Basilio? 5. ¿Qué consejo le dió Basilio a Roberto? 6. ¿Cómo respondió Pensativa cuando Roberto le pidió la mano? 7. ¿Por qué no podía casarse Pensativa? 8. ¿Por qué creía Genoveva que todavía había esperanza? 9. ¿Qué pensaba Roberto mientras iba a la estación? 10. ¿Qué le dijo a Ireneo que alegró mucho a éste? 11. ¿Para qué habían llegado Cornelio y el padre Ledesma? 12. ¿Qué le pareció Roberto al padre? 13. ¿Qué quería el padre que hiciera Pensativa? 14. ¿A dónde se fueron Cornelio y el padre? 15. ¿Qué noticia trajeron al volver?

CHAPTER 18

1. ¿Cómo convenció el padre a Pensativa de que podría casarse con Roberto? 2. ¿Por qué no lo dejaron ir esa noche a ver a Pensativa? 3. ¿Quién estaba esperando en el camino a la mañana siguiente? 4. ¿Cuándo acordaron casarse Pensativa y Roberto? 5. ¿A quién buscaban todos? 6. ¿Qué carta llegó para Roberto? 7. ¿Por qué no la leyó en seguida? 8. ¿A quiénes invitaron a la boda? 9. ¿Por qué no le gustó mucho a Roberto la tertulia? 10. ¿Qué noticias le mandó su amigo de Guadalajara? 11. ¿Quién fué a despertar a Roberto la mañana de la boda? 12. ¿Qué quería saber Pensativa? 13. ¿Por qué le extrañó a Roberto la pregunta de Pensativa? 14. ¿Quiénes entraron en el momento en que iban a celebrar la boda?

CHAPTER 19

1. ¿Quién fué el ciego? 2. ¿En qué momento supo Roberto que Pensativa era la Generala? 3. ¿Por qué no lo supo antes? 4. ¿Por qué creía Pensativa que Roberto ya lo sabía todo? 5. ¿Por qué no mataron a los dos mendigos? 6. ¿Qué le dijo Pensativa a Roberto antes de irse? 7. ¿Cómo habían logrado meterse en la casa los dos mendigos? 8. ¿Cómo se había salvado de la muerte Muñoz? 9. ¿Quién había mutilado al Alacrán? 10. ¿Qué comprendía Roberto después de meditar? 11. ¿Qué vió al acercarse al Plan de los Tordos? 12. ¿Qué supo al llegar? 13. ¿Por qué no sabía nadie dónde estaba Pensativa?

CHAPTER 20

1. ¿Qué le dijo Cornelio a Roberto? 2. ¿Por cuánto tiempo trató Roberto de hallar a Pensativa? 3. ¿Qué le anunció un telegrama? 4. ¿Quién fué a vivir con Roberto? 5. ¿Quién fué a visitar a Roberto algunos años después? 6. ¿Qué nombre llevaba Pensativa entonces? 7. ¿Dónde estaba? 8. ¿Qué mensaje mandó Pensativa a Roberto? 9. ¿Por qué no había entregado Basilio a Roberto la carta de Pensativa? 10. ¿Qué mensaje le mandó Roberto a Pensativa?

VOCABULARY

THE VOCABULARY is intended to be complete, except for the following classes of words: adverbs in -mente, when the corresponding adjective is given; common diminutives in -ito, -ita, unless the diminutive has a meaning distinct from the key word; words with the suffix -ísimo, -a, some of which will be found only under the key word; true cognates of familiar English words; the definite and indefinite articles; personal, demonstrative, and possessive adjectives and pronouns; words explained in the Notes on their only occurrence. Past participles used as adjectives are listed, but when other forms of the verb occur, with similar meaning, only the infinitive is given.

Idioms are listed in the following order: (a) under the first of two nouns, (b) under the noun, (c) under the verb, if there is no noun, (d) under the first significant word, if there is neither noun or verb.

Genders of nouns are indicated, except for the names of male and female beings, masculine nouns ending in -o, and feminine nouns ending in -a, -ez, -ión, -dad, -tad, -tud, -umbre, and unaccented -ie.

THE FOLLOWING ABBREVIATIONS ARE USED:

adj. adjective	*Mex.* Mexican
adv. adverb	*n.* noun
Amer. Spanish-American	*p.p.* past participle
coll. colloquial	*pl.* plural
f. feminine	*Port.* Portuguese
m. masculine	*prep.* preposition

A

a to, at, in, on; for; by; after; — qué why

abad abbot (head of a monastery)

abajo below; downward; más — farther down

abalorio glass bead

abandonar a to leave on

abandono neglect

abarcar to take in

abarrotero *Mex.* grocer

abatirse to descend

abismarse to sink

abnegado self-sacrificing

abogado lawyer

aborrecer to hate

aborrecible hateful

abrasar to burn

abrazar to embrace, hug

abrazo embrace, hug, clutch

abrigo wrap, overcoat

abrir to open; cut

abrumador overwhelming

abrumar to overwhelm

absoluto: en — not at all

abuelo grandfather; —s ancestors

abundar to abound, exist in great number

acabar (de) to finish, end, complete; go on; — por (decir) to (say) finally

acariciar to caress, stroke, pat

acaso perhaps

acatar to respect

acceder to agree

acechar to waylay, lie in wait

acento tone of voice; sin — monotonous

aceptar to accept, agree

acercar to bring close; —se a to approach

acero steel

acertar (ie) to guess correctly

aclaración explanation

aclarar to clarify, explain, make clear; expose

acometer to attack

acomodar to place, find a job for; —se to settle, make oneself comfortable

acompañante companion

aconsejar to advise

acontecimiento event

acordar (ue) to agree; —se de to remember

acorralado cornered

acortar to shorten, lessen

acostarse (ue) to go to bed, lie down

acostumbrarse a to be (grow) used to

acrecentar (ie) to increase

acribillar to shoot full of holes

actitud attitude

actual present

acudir to come (running)

acuerdo agreement; **puesto de** — primed

adamascado *adj.* damask

adelantar(se) to advance, go ahead

adelante ahead, forward; en — from now on; hacia — forward; más — farther on

ademán *m.* gesture; despedirse con un — de to wave good-by to

además besides

adentro inside

adicto devoted

adiós good-by, farewell
adivinar to guess
adivino good guesser
admiración wonder
admirar to admire; wonder; surprise; —se de to be amazed at
admitir to admit, accept
adorno ornament
adquirir (ie) to acquire
adusto austere
advertir (ie) to warn, inform; notice
afanado working eagerly
afiebrarse to become feverish
afilado keen
afortunado fortunate
afuera outside; las —s the outskirts; afuerita just outside
agarrar to grab, seize
agazaparse to crouch
agitar(se) to wave, shake; move excitedly
agobiar to overwhelm
agolparse to crowd
agosto August
agotarse to become exhausted
agradable pleasing
agradar to please
agradecer to be grateful (for)
agrado pleasure
agraviado offended
agredir to attack, hurt
agregar to add
agua water
aguacero shower, downpour
aguantar(se) to put up with, endure; stay
aguardar to await
aguja needle
aguijonear to rouse
agujero hole

ahí there
ahogar(se) to drown, smother, stifle
ahora now; — que although
ahorcado hanged (man)
ahorcar to hang
ahorrar to spare
ahusado tapering
aire m. air; en el — in mid-air
aislamiento isolation
aislar to isolate
ajusticiar to execute
al (morir) on (dying)
ala wing
alabar to praise
alacrán m. scorpion
álamo poplar
alargar to prolong
alarido scream
alba dawn
albergar to shelter
alborear to dawn
alborotos m.pl. turmoil
albures m.pl. a card game
alcance m. reach
alcanzar to overtake, reach; catch; last
alcoba bedroom
aldabonazo knock
alegar to claim
alegrar to brighten; —se to be glad
alegre happy
alegría joy, happiness
alejar to take away, get rid of; —se to move away, depart
alentar (ie) to encourage, raise
alerta adv. on the alert; estar — a to be conscious of
aletazo flicker

alfeñique *m.* sugar paste; de — "sugar baby"

algo something, anything; — como a kind of

alguien somebody

alguno some, any

alhaja jewel

aliado combined

aliento breath

aligerado more at ease

alinear to line up

alisar to stroke

alivio relief, improvement

alma soul, heart

almacenar to store up

almanaque *m.* calendar; que salen en los —s like calendar girls

almorzar (ue) to breakfast, lunch

almuerzo breakfast, lunch

alojamiento lodging

alojar to give lodging; —se to stay

alrededores *m. pl.* surroundings, vicinity

altanero haughty

alterarse to get angry, excited

altivo proud

alto tall; high; lo — the top

altura height

alzar to raise; —se to rise

allá there; más — de beyond

allí there; de — en adelante from then on

ama leader; head of a house

amabilidad kindliness

amable kind, friendly

amanecer to dawn; — con vida to be alive at dawn; *n.m.* dawn

amar to love

amargado embittered

amargo bitter

amargura bitterness

amarillo yellow

amarradito: muy — all tied up

amarrar to tie, bind

ambiente *m.* atmosphere

ambos both

amenazador threatening

amenazar to threaten

ametralladora machine-gun

amigo,-a friend

amilanado cowed

amistad friendship

amnistía amnesty, pardon

amnistiado pardoned

amo master, owner

amonestación bann (notice of an intended marriage)

amontonar to pile up, mass

amor *m.* love; — a love for; — propio vanity

amordazar to gag

amortiguar to deaden; —se to die out

amparar to protect

amparo protection; shelter

anciano,-a old; *n.* old gentleman, lady

ancho wide, broad

andar to walk, go (around) ride; act, take part; be

angustia anguish, affliction

angustiado worried

angustioso filled with anguish

anhelar to yearn, hope

animado animated; violent

animar to animate, encourage, urge on; revive; —se a to get enough courage to

animoso courageous

aniquilado wiped out

anoche last night

anochecer m. nightfall

anonadar to overwhelm

anormal abnormal

ansia longing; anxiety

ansiar to long

ansiedad anxiety

ansioso anxious

ante before; in the presence of; in

antemano: de — in advance

anteojos m.pl. glasses

anterior previous

antes before, beforehand; formerly; rather; — de, — que before

antier the day before yesterday

antiguo old, former

antipático unpleasant

antojarse to appeal; se me antoja I wish

anudar to tie

anuncio announcement

añadir to add

año year

apagar to put out; —se to go out

aparecer(se) to appear

aparentar to pretend

apartado remote, separated

apartar to take away, remove, separate; —se to move away, leave

aparte de besides

apasionado passionate

apegado devoted

apellido family name

apenar to afflict

apenas (si) scarcely

apesarado griefstricken

apetecible attractive

apiadarse de to take pity on

aplastar to crush

aplazar to postpone

apoderarse de to seize

aportar to cause; bring

aposento room

apostar (ue) to bet; post

aprecio esteem

apremiar to urge

aprensión apprehension

apresurar to hasten, urge on; —se to hasten, go too fast

apretado tight; thick; confining

apretarse (ie) to clench

apretón de manos handshake

aprisa quickly

aprobar (ue) to approve

aprovechar to take advantage of

aproximación approach

aproximarse to approach

apuntar to point

aquí here; — mismo right here; por — around here

arañar to scratch, claw

árbol m. tree

arboleda grove of trees

arbusto shrub

arco arch

arder to burn

arena sand

arete m. earring

arma arm; andar levantado en —s to take up arms in rebellion

arquería arches

arracada pendant earring

arrancar a to tear, pull from

arrapiezo urchin

arrasar to fill to the brim

arrastrar to drag; carry away;
—se to creep; flow
arrebatado swept away
arrebatador captivating
arreglar to arrange, fix
arrepentirse (ie) de to be sorry
for
arriba above; más — upstream
arriero mule-driver
arriesgarse to risk, be bold
arrodillarse to kneel down
arrojar to cast (off), throw; —se
to rush
arroyo brook
arruinarse to fall to ruin
arrullar to lull
arzobispo archbishop
asaltar to attack; blow up
asar to roast
ascendiente upward
ascético ascetic (severe and
holy)
asco loathing; dar — to fill with
loathing
asegurar to assure; claim
asentimiento consent
asentir (ie) to agree
asesinar to murder
asesinato murder
asesino assassin, murderer
asestar to fire
así thus, so, like that; — nada
más merely
asiento seat
asilo shelter
asistencia *Mex.* sitting-room
asistente orderly
asno ass
asomarse a to peer into
asombrar to amaze
asombro amazement

asombroso amazing
aspecto appearance
aspereza(s) harshness
aspirar to breathe in; hope
asqueroso filthy, loathsome
astroso loathsome
asunto matter
asustar to frighten
atado tied, bound
atadura bond
atañer to concern
ataque *m.* attack
atardecer *m.* dusk
atentado assault, attack
aterrar to terrify
aterrorizar to terrify
atraer to draw
atrás behind
atravesar (ie) to cross
atreverse a to dare
atrevido daring
atronar (ue) to thunder
atroz atrocious
aturdir to stun
audaz bold
aullar to howl
aumentar to increase, swell
aun, aún still, even; más —
moreover
aunque although, even if
áureo golden
aureola halo
ausencia absence; lack
ausentarse to be absent
auténtico true
autorización permission
autorizar to give permission to
auxilio aid
avasallado overcome
aventurar(se) to venture; speak
up

avergonzar (ue) to shame; —se to be ashamed

averiguar to find out, discover

ávido eager

avisar to notify

aviso message; warning; póner sobre — to forewarn

avivar to heighten

ayuda help; — de cámara valet

ayudante assistant

ayudar to help

ayunar to fast

ayuntamiènto town council

azahar m. orange blossom

azar m. risk; al — at random

azucarera sugar bowl

azul blue

B

bailar to dance

bajar to descend, get off, come down

bajo adj. low; lo — the bottom; prep. beneath, under

bala bullet

balacear Amer. to shoot

balazo shot; a —s by shooting, with shots

balbucear to stammer

balde: en — in vain

baldosa paving stone

banca bench

bandeja tray

bandera flag

bañar.(se) to bathe

bañista bather

baño bath; tomar un — to bathe

baraja pack of cards; jugar a la — to play cards

baratija trinket

barba beard; chin

barbacoa barbecue

bárbaro barbarous

barbón bearded; fierce

barda thatch

barraca hut

barrer to sweep, fire at

barrera barrier

barro earthenware

bastante enough; quite

bastar to be enough; basta stop, that's enough

bastoncito little rod

batir to comb

beber to drink

Bélgica Belgium

belleza beauty

bello beautiful, fine

bendecir to bless

bendito blessed

beneficio favor

bermejo bright red

besar to kiss

bestia beast; adj. animal-like

bestialidad brutality

bien well; very, entirely; all right, good; más — rather

bienvenido welcome

billete m. banknote

biombo screen; pretext

blanca: sin — without a cent

blanco white

blandir to wave

blando soft

blusa blouse, shirt

boca mouth; abrir una — enorme to open one's mouth wide

bocado mouthful

bocarriba on (my) back

boda wedding

bonito pretty, lovely

bordado embroidered

borde m. edge

bordear to border; *Amer.* to reach the edge of

borrachín drunkard

borrar to erase, wipe out; make dim, darken

borrascoso stormy

borroso vague

bosque m. woods; **bosquecillo** grove of trees

bota boot

botella bottle

brasero *Mex.* fireplace

brazo arm

breve brief

bribón rascal

bribonada villainous action

brida bridle

brillar to shine

brillo flash

brindar to drink as a toast; — **por** to drink to

brío vigor

broma joke; **hacer —s** to play jokes

bromear to joke

brotar to spring (up), come forth

bruces: de — face down

bruscamente suddenly

bruto beast

bueno good; well

bulto bulk; encumbrance

burla jest

burlarse de to laugh at, make fun of; fool

burlonamente mockingly

busca search

buscar to seek, look for

búsqueda search

C

cabalgadura mount

cabalgata cavalcade

caballo horse; **a —** on horseback; **caballejo, caballito** little horse

cabecera head

cabecilla leader

cabello hair

caber to be contained

cabeza head; **negar con la — to** shake one's head

cabizbajo: ponerse — to brood

cacha butt

cada each, every

cadáver m. corpse

cadozo river depth

caer(se) to fall; yield; **—se a** to fall into; **— mal** to annoy

café m. coffee

cafetera coffee pot

cajetilla, cajita package; little box

cajón m. box; drawer

calma calm; **tener —** to be calm

calor m. heat, warmth

calzada highway

callar to be silent; silence

calle f. street

calleja, callejuela lane

cama bed

camarada companion

cambiar de to change

cambio change; **en —** on the other hand

caminar to travel, walk, ride

camino road, route; journey; **cerrar el —** to block the way; **en — de** on the way to; **en el**

buen — on the right path;
facilitar el — to help along
campamento camp
campaneo ringing of bells
campeón champion
campesino peasant
campiña landscape
campo country; field
camposanto cemetery
cana white hair
canalla *m.* cur
canción song
candor *m.* frankness
candoroso simple
cansar to tire, weary; —se to get
tired
cantar to sing
cantidad quantity
cantor singer
cañonazo cannon boom
capaz capable
caporal overseer
cara face; poner — de to ex-
press; poner una — to look;
tener — de to look like a
carabina carbine
carácter *m.* disposition
carcajada burst of laughter; a
—s heartily
carcamal feeble old person
cárcel *f.* jail
cargado charged, loaded
caridad charity
cariño affection
Carlos Charles
Carlota Charlotte
carne *f.* meat; flesh
caro dear
carrera race; rush
carta letter
cartero postman

cartón *m.* cardboard
casa house
casamiento marriage
casar(se) con to marry
casco hoof
caserón *m.* big house
casi almost
caso case; fact; cause; hacer —
a, de to heed
casona big house, homestead
castigar to punish
castigo punishment
casto chaste
católico Catholic
catre *m.* cot; — de campaña
army cot
cauce *m.* course; river-bed
caudillo chief, leader
cauteloso cautious
cazar to hunt
ceder to yield
cegar (ie) to blind; —se to be
blind with rage
ceja eyebrow
Celaya *city in the Mexican State
of Guanajuato*
celebrarse to take place
celoso fervent
cena supper; ya está la — supper's ready
cenador *m.* arbor
cenar to have supper, eat
ceniza ash
centavo cent
centenar *m.* hundred
centinela sentry
centro center; sphere
ceñir (i) to fit tightly, bind
cerca (de) near
cercanías *f.pl.* vicinity
cercano close

cerrar(se) (ie) to close

cesar to cease; relax; **sin —** constantly

cicatriz *f.* scar

cicatrizado scarred

ciego blind (man)

cielo sky

cierto certain; true; **por — que** of course

cigarrillo cigarette

cigarro cigar; *Amer.* cigarette

cinco five

cincha girth, cinch

cinta sash

cintura waist

cirio candle

cita date

citadino city-dweller

ciudad city; **— Guzmán** *city in the Mexican State of Jalisco*

clamar to cry, shriek

clamorear to roar

clamoreo rustle

clarete *m.* claret wine

claridad light; **con —** clearly

claro clear, open; of course; **— está, — que (sí)** of course

clavar to fasten; dig

clero clergy

coadjutor bishop coadjutor (the bishop's chief assistant and probable successor)

cobarde coward; **cobardón** big coward

cobrar to collect

cocina kitchen

cocinera cook

coche *m.* carriage, car; **cochecito** buggy

cochero coachman

coger to seize, take

cohete *m.* skyrocket

cohibirse to be embarrassed, overawed

cojear to limp

cojo lame

cola train

cólera anger

colgar (ue) to hang

Colima *coastal State, and its capital city, in Western Mexico; volcano in the Mexican State of Jalisco*

colmar to overwhelm; fill

colocar to place, put

coloquio conversation

colorado red

collar *m.* necklace

comarca region

combatir to fight

comedor *m.* dining-room

comer to eat, have dinner

cometer to commit

comida dinner

como like, as; as if; **— un** a kind of

cómo how; what

cómoda dresser

comodidad comfort

compartir to share

compasivo tender-hearted

componer to repair

comprender to understand, realize

comprobar (ue) to find out, note

comprometerse to commit oneself; be endangered

compungido repentant

con with; **— que (me lo diga)** you have only (to tell me); **— todo** in spite of everything conceder to grant

concerniente: todo lo — a all about

conciencia: en — honestly

concienzudo thorough

conciliar to win

concluir to end

concurrencia gathering

concurrentes *m.pl.* guests; group

condado county

conde count

condenado condemned

conducir to lead, carry, take

conectar to come in contact

confianza confidence

confiar a to confide in

confirmarse to be content

congoja anguish

conmigo with me

conmover (ue) to move; appeal to; —se to show emotion, be moved

conocer to know; meet

conocido familiar

conquistar to conquer, win (over)

conseguir (i) to achieve, obtain, succeed in; — que (vengan) to make (them come)

consejo advice

conservar to keep, preserve; bear

consigna secret order

consigo with him, her, *etc.*

constar to be clear; (que) cons-te I warn you

consternar to strike with horror

consuelo consolation

consultorio *Amer.* (doctor's) office

contagiar de to infect with

contar (ue) to tell, count; — con to reckon with

contener to restrain, hold (back)

contenido contents

contento happy; n. happiness, contentment

contestar a to answer

contigo with you

contra against

contrariar to annoy

contristado mournful

convencer de to convince, persuade

conveniencia advisability

conveniente desirable

convenir to suit; — en to admit

convertir (ie) en to change into; make; —se en to become

convocar to call together

copa glass; copita little glass

coraje *m.* anger; ¡qué — le dió! how angry he was!

corazón *m.* heart; de todo — with all (my) heart

cordillera mountain-range

corear to echo

corneta bugle

coro: en — in unison

coronado crowned

correr to run (out), flow, go along, pass, extend; roam; have; a todo — at full speed; —se to slip

correría escapade

corresponder to reciprocate, return love

corriente f. current, stream

cortar to cut (off), break; —se to be abashed

corte *m.* cut; f. court

cortejar to court

cortejo attendants
cortés courteous, polite
corvas f.pl. Mex. fear
cosa thing; buena — something good; — hecha a settled thing; otra — que more than
coscolino Mex. immoral
coser to sew
cosquilleo tickling sensation
costar (ue) to cost
costumbre custom
cotidiano daily
coyote Mex. coyote (prairie wolf)
crecer to grow, swell, rise
crecida flood waters
creciente growing; n.f. high water, flood
creencia belief
creer to believe
crepúsculo nightfall
creyente believer
criado,-a servant; p.p. brought up
crisparse to twitch
cristales m.pl. window
cristerismo religious struggle
cristero adj. religious; n. religious fighter
crueldad cruelty
cruz f. cross; crucecita little cross
cruzada crusade
cruzar to cross
cuadrado square
cuadro picture
cual: el, la, lo — which, who
cuál which, what
cualquiera any, anyone
cuando, cuándo when; — mucho at most

cuanto(s) all that, all those that; a los — (pasos) after a few (steps); en — a as for; todos —s all those who
cuánto how much
cuarenta forty
cuaresmal Lenten
cuarto room; adj. fourth
cuatro four
Cuautla city in the Mexican State of Morelos
cubrir to cover, protect
cuchillo knife
cuello neck
cuenca eye socket
cuenta: darse — de to realize
cuerda rope
cuerpo body
cuesta slope; — abajo down the slope
cuidado care
cuidadoso careful
cuidar to take care of; —se to be careful; —se de to take trouble to
culpa blame, fault, sin, wrong; tener la — de to be to blame for
culpable to blame; ser el — de to be to blame for
culpar to blame
culto cultured
cumplir to fulfill, carry out; grant
cura priest
curar to take care of
custodiado guarded
cuyo whose

CH

chacha coll. nurse
charco puddle

charla chat, talk; **variar la —** to change the subject
charola *Amer.* tray
chico,-a fellow, boy, girl
chiquillo,-a baby; child
chiste *m.* joke; **eso no tiene —** that's the truth
chistoso entertaining, amusing
chocar to offend
chorro stream
chubasco downpour
chueco *Amer.* bow-legged

D

danzante dancer
daño harm; **hacer — a** to hurt
dar to give; **— con** to find; **—se por ofendido** to take offense
datos *m.pl.* data
de of, from, about; in; with; by; as
deber to owe, "must," "ought"; **debe (ser)** must (be); **debía (ser)** was to (be); **debió, ha debido, había debido (ser)** must have (been)
débil weak, weaker
debilidad weakness
decir to say, tell; call; **bien (mejor) dicho** rather; **por así —lo** so to speak
declaración proposal
declarar to declare; **—se** to propose
decoro politeness
dedicar to devote
dedo finger; **— chiquito** *Amer.* right-hand man
defensor,-a defender
degradado depraved

dejar to let; leave; **—(se) de** to stop, fail to; **—se (llevar)** to let oneself be (carried away); **—se ver** to appear
delantal *m.* apron
delatar to denounce, betray; **—se** to appear
delgado thin; **delgadito** skinny
delicia delight
delirante delirious
delirar to be delirious
demás rest (of the)
demasiado too; too much
demonio evil spirit
demostrar (ue) to show
dentro de within
denunciar to reveal
depositar to place, leave
derecho right
derivar to drift
derramar to pour out
derredor: en — (de) all about, around
derribar to knock down
derrumbarse to tumble down
desacostumbrarse a to lose the habit of
desafiar to challenge, brave
desafío defiance
desagradable unpleasant
desagradar to displease
desalmado soulless
desanimarse to be discouraged
desaparecer(se) to disappear
desaparición disappearance
desarraigar to uproot
desarrollarse to develop; take place
desasosiego uneasiness
desatarse to break loose
desatención discourtesy

desbordar to overflow (with); —se to pour down
descabellado absurd
descampado open space
descanso rest, cease
descarado impudent
descarga discharge
descarnado thin, bony
descenso descent
descolorirse to become pale
desconcertar (ie) to confuse
desconfiar to be suspicious
desconocido strange, very much changed
descubrimiento discovery
descubrir to discover; reveal; —se to take off one's hat
descuidado unaware
desde since; from; — que since
desdén m. disdain
desdeñar to scorn
desdichado unfortunate; n. wretch
desear to wish
desechar to cast aside
desembarazado freed
desembocar to come out
desembuchar coll. to speak up
desenfundar to take out (of a holster)
desenlace m. solution
desenvolver (ue) to develop, unfold
deseo desire, wish
deseoso desirous, anxious
deservicio disservice
desesperación despair
desesperado despairing, desperate
desfalleciente faint
desgarrador heart-breaking

desgarrar to tear (open)
desgracia misfortune; **por —** unfortunately
desgranarse Amer. to splash
deshabitado deserted
deshecho dissolved
deshilada: a la — stealthily
deshonroso dishonorable
deshumano inhuman
desleal con disloyal to
deslumbrar to dazzle, stun
desmantelado ruined
desmayarse to faint
desmentir (ie) to prove wrong
desmontar to dismount
desnarigado noseless (man)
desnudarse to strip
desobedecer to disobey
desoír to refuse to hear
desolarse (ue) de to grieve at
desorejado earless (man)
desorejador ear-remover
desorientado confused
despacio slowly
despavorido terrified
despechado spiteful
despecho grudge; **a — de** in spite of
despedazar to shatter, tear to pieces
despedida farewell; departure
despedir (i) to dismiss, see off; give off, spread; —se to leave, say good-by
despejado clear, serene
despejar(se) to clear
despertar (ie) to wake
despiadado merciless
desplazarse to move
desplegarse (ie) to unfold
despojar de to remove, strip

despreciar to scorn

desprecio scorn

desprenderse to break away

desprestigio loss of prestige

desprovisto de lacking

después after, afterwards; — de, — que after

destantear to beguile

destemplado unsteady; harsh

destinar to allot

destino job

destrozar to destroy, kill, ruin, smash

destruir to destroy

desusado unusual

desvanecerse to vanish

desventrado fallen apart

desvergonzado shameless

desvivirse to be very anxious

detalle m. detail

detener to stop; keep; —se to stop, stand

deuda debt

devastado ravaged

deveras: de — coll. in earnest

devolución return

devolver (ue) to give (send) back, return

día m. day; al otro — the next day; buenos —s good morning; dar los buenos —s to say good morning; ocho —s a week; quince —s two weeks

diablo devil; ¿qué —s? what the devil?

diario daily

dibujarse to appear

dicha pleasure, good fortune, happiness

dichoso happy

diente m. tooth

diez ten

difícil difficult; unlikely

difundirse to spread

difunto deceased

digno worthy

diluvio deluge

dinero money

Dios God; estar de — to be ordained; ¡por —! good God!

dios, diosa god, goddess

dirigir to guide; manage; make; —se a to go to, turn to, address

disculpa excuse

disculpar de to excuse for, find excuses for; —se ante sí mismo to justify oneself

discurso speech

discutir to argue; question

disfrazar de to disguise as

disfrutar de to enjoy

disgustar to displease; me disgusta I don't like it; —se to quarrel

disgusto displeasure

disimular to conceal, pretend, disguise

disimulo pretense

disipar to drive away; —se to vanish

disminuir to decrease, diminish

disparar to fire, shoot

disparo shot

disponer to arrange

disposición sentiment

dispuesto ready

distante far

distinto different

distraer to distract, catch the attention of

distraídamente without thinking

divertirse (ie) to have a good time

divisar to catch sight of

doblarse to bend, bow; sway

doblegado bowed

doblez *m.* deceitfulness

doce twelve

docena dozen

dócil meek

doler (ue) to ache

dolor *m.* pain, grief

dolorido sorrowful

doloroso painful

domar to subdue

dominar to dominate, control, overcome

don, doña *titles of respect and friendship; do not translate*

doncella maiden; la — de Orleans the Maid of Orleans (Joan of Arc)

donde, dónde where

dorado gilded, golden

dormido asleep

dormir (ue) to sleep; —se to go to sleep

dos two; doscientos two hundred

dotar to endow

duda doubt; no cabía — there was no doubt

dudar to doubt, hesitate; — en to hesitate

dudoso hesitating

duelo sorrow, mourning

dueño,-a owner

dulce soft, sweet; *n.m.* candy; —s cubiertos chocolate-covered candies

dulcificar to soften

dulzura gentleness; comfort

Durango *State in north-central Mexico*

durante during

durar to last

durazno peach; peach tree

dureza harshness

dura harsh, severe

E

e and

eco echo

echar to throw; drive; bend; — a to throw into; begin to; — a volar to spread; — de ver to notice, realize; —se a to jump on; dive into

edificar to build

edificio building

efectivamente in fact

efecto: en — in fact, indeed

efectuarse to happen, take place

ejecutar to execute

ejemplo example; dar el — to set an example

ejercer to exercise; have, possess

ejercicio exercise; devotion

ejército army

el (la, los, las) que which, whom; the one(s) that; the fact that

elegir (i) to choose

elevarse to rise

elogiar to praise

elogio eulogy, praise

emanar to flow

embargo: sin — nevertheless; sin — de in spite of

embellecer to beautify

embobado fascinated

emboscada ambush

embriagado intoxicated
embrollarse to get muddled
emocionar to move; upset
empañado blurred
empapado soaking wet
emparejar con to bring abreast of
empedrado pavement
empeñarse to insist
empeño eagerness
empeorar to make worse
empero however
empezar (ie) to begin
emplear to use
emprender to undertake, begin
empresa undertaking, job
empuje m. thrust, impact
en in, at, on
enagüilla short skirt
enamorado de in love with
enamorar to make love to; —se to fall in love
enarbolar to raise
encabritarse to rear
encajes m.pl. lace
encalado whitewashed
encaminarse to travel, go
encantado delighted
encantador delightful
encanto delight, charm
encargar to charge; turn over; —se de to take charge of, undertake
encargo request
encender (ie) to light
encendido fiery
encerrar (ie) to shut, enclose, confine, lock up; contain
encima on, upon; por — de over
encina oak tree
encogerse to shrug

encontrar (ue) to find, meet; —se to be; —se con to meet
encresparse to grow in a tangled mass
encuentro meeting; a (nuestro) — to meet (us)
endemoniado fiendish
enemigo enemy
enemistado unfriendly
energía energy, force
enfadar to anger
enfangado filled with mud
enfermar to make ill
enfermedad illness
enfermera nurse
enfermo,-a ill; n. patient
enfurecer to infuriate
engalanar to decorate, dress up, deck
engañar to deceive
engendrar to engender, form
engendro offspring
enigma m. mystery
enjaulado caged
enlodado covered with mud
enloquecer to drive crazy; go mad
enloquecido frantic, wild
enmascar to conceal
enojarse to become angry
enredo plot, mystery
enrejado grilled, covered with a grating
enrojecer to blush
ensangrentado bleeding
enseñar to teach, show
ensillar to saddle
ensimismado absorbed in thought
ensombrecer to darken
ensordecer to deafen; muffle

ensueño illusion
entablar to start
entender (ie) to understand
entenebrecido darkened
enterar de to inform; —se de to learn
enternecido touched
entero entire
enterrar (ie) to bury; sin — unburied
entoldar to cover
entonces then
entrada entrance, gate; admission
entrar (en,a) to enter
entre among, amid, between
entrega sacrifice
entregado a at the mercy of
entregar to deliver, hand (over); —se to yield, surrender
entrevistar to interview
entristecer to sadden; —se to become sad
entusiasmarse to be enthusiastic
enviado,-a envoy, messenger
enviar to send
envolver (ue) to involve; wrap; whirl about
epidermis f. outer skin
época period
equipaje m. baggage
equivocado mistaken
erguirse (i) to stand erect; rise; swell
erizarse to stand on end
ermitaño hermit
esbirro police officer
esbozar to sketch, form
escalera steps
escalinata platform
escapatoria escape

escarlata scarlet
escarmentar (ie) to set an example of punishment
escaso slight, scanty
escena scene
esclarecer to clarify
esclavitud slavery
esclavo,-a slave
escoger to choose
escolar adj. school
escoltar to escort
esconder to hide
escondidas: a — on the sly
escopeta shotgun
escribir to write
escritorio desk
escrúpulo scruple
escrutar to watch
escuchar to listen (to); hear
escupir to spit (on)
esfuerzo effort
esfumarse to vanish
eso that; y — que although
espalda back; dar la — a to turn away from
espanto fright, fear
espantoso frightful
español Spanish, Spaniard
esparcir to spread
espasmódicamente jerkily
espectro ghost
espejito small mirror; mirror-ornament
espera expectancy; wait
esperanza(s) hope
esperar to wait for; hope
espesura thicket
espetar coll. to spring
espía spy
espiar to watch, spy on
espíritu m. spirit, mind

espolear to spur
esposa wife
espuela spur; picar —s to dig in the spurs
esquina corner
estación station; season
estado state; los —s Unidos the United States
estallar to break out, explode
estallido crackling
estampido crash, burst
estancar to stop the flow of
estancia stay, visit
estar to be; be ready; be there; — como para to be ready for; —se to stay
Esteban Stephen
estentóreo thundering
estimar to esteem, admire
estrechar to clasp, shake
estremecer to make tremble; —se to shudder, tremble
estrépito crash
estribo stirrup; perder los —s to lose one's head
estridente shrill
estudiar to study
estudio study
estupendo wonderful
estúpido stupid
evitar to avoid, spare
examen m. examination; — de conciencia soul-searching
exhibirse to show off
exigir to demand
éxito success; tener — to succeed
exordio introductory remark
experimentar to feel, undergo
expiación atonement
expiar to atone for

explicación explanation
explicar to explain; —se to understand
exponer to explain
exquisito tender
extenderse (ie) to spread
exterior: en el — outwardly
extrañar to surprise
extrañeza surprise
extraño strange; n. stranger
extraviado lost
extremar to carry to an extreme
extremo end

F

facción side, party
fácil easy
facilitar to make easy
fachada facade, front
falda skirt; slope
falta lack; fault; en — in the wrong
faltar to be lacking, absent
fallar to miss
fantasía whim; rumor
fantasma m. ghost
fastidiarse to be bored, angry
fastidio annoyance; boredom
fatalidad fate
fatiga weariness
fatigar to tire, wear out
favor m. favor; a — de in behalf of; por — please
favorecer to be good for
fe f. faith
febrero February
febril feverish
fecha date
fechado dated
fechoría evil deed
federal federal soldier

felicidad happiness
felicitar to congratulate
feliz de happy to
feo ugly
Fernando VII *King of Spain,*
1808-1833
feroz fierce, ferocious
férreo stern
ferviente fervent, intense
festejar to celebrate
festín m. feast
ficticio pretended
fideo piece of spaghetti
fiebre f. fever; perdido de — in a
fever of haste
fiel loyal
fiera wild beast
fiereza fierceness
fiero fierce, ferocious
fierro iron; — al rojo red-hot iron
fiesta festival, feast day of a
saint
figura figure, looks
figurarse to imagine
figurín m. fashion-plate
fijar to place; —se en to notice,
pay attention to
fijo fixed, steady
filantropía philanthropy
fin m. end; a —es de at the end
of; en — in short, well; por
— at last
final m. end
finca estate, farm, place
fingimiento pretense
fingir to pretend; —se to pretend to be
fino fine, delicate, slender
finura(s) politeness
firmar to sign
firme firm, solid

firmeza firmness; con — steadily,
firmly
fisonomía face
flaco skinny
flamear to flutter
flaqueza weakness
flecha arrow
flor f. flower
fluir to flow
fogoso fiery
follaje m. foliage
fonda inn; hotel bill
fondo bottom, depths; far end;
en el — at heart
forajido outlaw
fornido husky
fortificado strengthened
fortuna fortune; mercy; por —
fortunately
fracasar to fail; hacer — to frus-
trate
fracaso failure
franco frank, open
franquear to clear, open
franqueza frankness
fratricida fratricidal (brother
killing brother)
frenesí m. frenzy
frenético frenzied
frente f. forehead, brow
frente a opposite
fresno ash tree
frialdad coldness
frijol m. kidney bean
frío cold; hacer —, tener — to
be cold
frotar to rub
frustrarse to fail, not occur
frutal m. fruit tree
fruto fruit, product
fuego fire; hacer — to shoot;

poner — a la **mecha** to start some fireworks

fuente *f.* fountain

fuera de out of, outside of, away from

fuerte strong, heavy, loud

fuerza(s) strength, force; **a (la)** — by force

fuga flight

fulgor *m.* flare

fulgurante burning, shining

fumar to smoke

fundar to found

fusilamiento execution

fusilar to shoot

fustazo lash with a whip

futura *coll.* bride

G

gacela gazelle

galopada gallop; **dar —s** to go galloping

gana(s) desire, eagerness; **con (tantas) —s (so)** eagerly, earnestly, heartily; **sentirse con —s de, tener —s de** to feel like, be anxious to

ganado cattle

ganar to earn; win; overcome, beat; — **a** to win from; **—se** to get

gañán farm hand

garganta throat

gastar to spend

gavilán *m.* sparrow hawk

gemir (i) to moan

generala (woman) general

género kind

gente(s) *f.* people

gesto expression; gesture; **señalar con un —** to point to

gimotear *coll.* to whine

girándula de fuego pinwheel

glorieta arbor, summer house

gobernador governor

gobierno government

golpe *m.* blow; **de (un) —** all at once, suddenly

golpear to strike

golpecito tap

gota drop

gozar con to be pleased by

gozo happiness, joy

gracia grace; humor; **hacer —** to seem funny; **tener su —** to be amusing; **—s** thanks

grada step

grado degree; **en — máximo** tremendously

gran, grande big, great

grandeza greatness

grandísimo confounded

grato welcome

grave grave; seriously ill

gravedad seriousness; grave illness

gringo *Amer.* American

gritar to shout, cry

grito shout, cry; **a —s** loudly

grueso thick

gruñir to mutter

grupas: volver — to turn around

Guadalajara *capital of the Mexican State of Jalisco*

Guanajuato *State, and its capital, in central Mexico*

guapo handsome, beautiful

guardar to hold; keep, put away; **—se** to beware; conceal

guarnición garrison

guerra war

guerrillero guerrilla fighter

guía guide

guiar to guide, lead; move

guirnalda garland

guisa: a — de as a kind of

gusano worm

gustar to please; me gusta I like it

gusto pleasure; enthusiasm; a — willingly

H

haber to have; — de to have to, "should," "must"; — que to be necessary; hay, había, *etc.* there is, was, were, *etc.*; he aquí here is (was); ¿cómo no había de . . . ? how could you help . . . ?; ¿cómo no he de querer ir? what do you mean, I don't want to go?

habitación room

habitar to live (in), occupy

habituar to accustom

hablar to speak, talk; — por — to talk idly

hacer to do, make; lead; — caer to trap; — saber to inform; — surgir to bring forth; — ver to show; hace (un año) (a year) ago; hacía (tiempo) (a long time) before; haré que (venga) I shall have him (come); —se to become, get to be, lead; —se a to get used to, seem; —se oír to speak up; —se pasar por to pretend to be; —se rogar to need coaxing

hacia toward

hacienda farm

halagüeño flattering

hálito breath

hallar to find; —se to be

hambre *f.* hunger; tener —, traer — to be hungry

hasta until; as far as; even, to the point of

hazaña deed

hechizado enchanted

hecho fact, deed

helar (ie) to freeze

henchido de filled with

heredar to inherit

hereje heretic

herencia inheritance

herida wound

herir (ie) to wound, hurt

hermano,-a brother, sister

hermoso beautiful, fine

hermosura beauty

hervir (ie) to boil, seethe

hierba grass

hierro iron; — al rojo red-hot iron; —s grating

hijo son; —s children

hilar to connect

hilillo trickle

hirviente boiling

historia story

hogar m. home

hoja leaf

hombre man

hombro shoulder

hombrón huge fellow

hondo deep

hora hour; time

horca gallows

hornillo oven

horno oven; — de ladrillo brick-kiln

horrorizarse to be horrified

horroroso frightful

hoy today; **de — en ocho** a week from today; **— mismo** this very day

hoz *f.* sickle

huella trace(s)

huérfano orphan

huerta orchard, farm

huidizo shifty

huir to flee

hule *Amer.* rubber

humilde humble

humillar to humiliate

humo smoke

hundir to sink; fall; bury

huracán *m.* hurricane

I

ignorar not to know

igual equal; **igualito** exactly alike

iluminar to illuminate, enlighten

imbécil idiotic

impacientar to irritate

impávido dauntless

impedir (i) to prevent (from)

impenetrable mysterious

imperceptible unnoticeable

imperio authority

ímpetu *m.* impulse

implacable relentless

imponente imposing

imponer to impose, require; assert

importar to be important, matter; concern

imposibilitado unfit

impresionante impressive, moving

impresionar to impress, affect

impreso stamped

improviso: de — suddenly

imprudencia indiscreet remark

inagotable inexhaustible

inasible unattainable

incapaz de unable to

incendiar to set fire to

incendio fire

inclinación nod

inclinarse to bend over, bow

inclusive even, including

incomodidad discomfort

incómodo uncomfortable; uneasy

inconmovible immovable

incorporar to raise; **—se** to sit up

increíble unbelievable

incumbir to concern

indeciso hesitating

indicio indication, sign

indignarse to become indignant; retort

indigno contemptible

indio Indian; **indito** Indian child

indomeñable uncontrollable

indudablemente without doubt

inescrutable unexplainable

inesperado unexpected

infame infamous

infantil childlike

infeliz unhappy; *n.* poor fellow

inferir (ie) to infer; inflict

infierno hell

informador,-a informant

informarse de to inquire

informes *m.pl.* information

infortunio misfortune

ingeniarse para to be skillful in

ingeniero engineer

ingenuidad frankness

ingenuo open

inhábil unskillful

iniciación beginning
iniciarse to begin
injuriar to insult
inmediato nearby
inmóvil motionless
innegable undeniable
inolvidable unforgettable
inoportuno inconvenient
inquebrantable unbreakable
inquietar to worry, bother
inquieto disturbed
inquietud uneasiness
insensibilidad lack of feeling
insensible a unconscious of
insinuación hint
insinuar to suggest
insoportable unbearable
inspeccionar to inspect
instalar to set up
instancia plea
instante m. instant; por —s for
  a moment
insulsez triviality
intachable model, blameless
intempestivo ill-timed
intención: sin — unintentional-
  ly
intencionadamente pointedly
intentar to try, attempt
intento intention, plan
internarse to penetrate, enter
interpelar to appeal to
interponerse to get in the way
interrogar to ask, question
intervenir to interrupt, break in
intimar to hint
intimidado frightened
íntimo intimate; secret; n. close
  friend
intrépido fearless
inútil useless

inválido crippled, wounded
invencible irresistible
invitado guest
ir to go; — bien to be all right;
  — (pagando) (to pay) gradu-
  ally; no vayas a (creer) don't
  you go (thinking); ¿qué tal les
  fué? how did it go?; ¡qué va!
  of course not!; vamos a (comer) let's (eat); ¡vaya con él!
  hurray for him!; ¡vaya (una
  compañía) ! what (company)!;
  —se to leave, go away; todo
  se le fué en (decir) all he did
  was (say)
ira anger
irascible irritable
irreconocible unrecognizable
irrefrenable uncontrollable
Iscariote Judas Iscariot, betrayer
  of Jesus
izquierdo left

J

jactancia boasting
jactancioso arrogant
jalisciense from Jalisco
Jalisco State in western Mexico
jamás never; ever
jardín m. garden; jardincito little garden
jefe chief, leader, boss
jerárquico in rank
jinete rider
jirón m. shred
jornada day; trip
joven young (man, woman)
joyita little jewel
Juana de Arco St. Joan of Arc,
  1412-1431, French heroine

and military leader, canonized
in 1919
júbilo joy
juego game; gambling
jugar (ue) to play
juntar to join, clasp
junto a near, next to
juramento oath
jurar to swear
justo just; — un a true
juzgar to judge, consider

K

kilómetro kilometer (⅝ mile)

L

labio lip
lado side; direction; a (nuestro)
— beside (us); al — de beside;
al otro — de beyond
ladrar to bark
ladrillar m. brick yard
ladrillo brick
lágrima tear
lamentar to regret
lámpara lamp
lampiño beardless
lanzar to launch, hurl, cast; ut-
ter; urge; —se to rush; enter;
burst out
largamente at length
largarse to clear out
largo long; a lo — de along; de
— without stopping
lastimar to hurt
latigazo lash
lazado lassoed
lazo bond; bow; lasso
leal faithful
lectura reading
leche f. milk

lecho bed
leer to read
lejano distant; aloof
lejos far; de — from a distance
lengua tongue; irse de la — to
let things slip out
lentes m.pl. glasses
lentitud: con — slowly
lento slow
leña firewood
Lerma Mexican river
letanía litany (series of prayers)
levantar to lift, raise; —se to get
up, rise; take off
leve slight
ley f. law
leyenda legend
libertad freedom
libertar to free
librar to free
libre free, open
libro book
liga league
ligereza: con — swiftly
ligero gay; trifling
limosnero beggar
limpiar to clean, wipe
límpido clear
lindo lovely
linterna lantern
lío conspiracy
liquidar to settle; Mex. to kill
listo clever; ready, waiting
lo the; — (primero) the (first)
thing; — de (locas) the busi-
ness of, the remark about
(crazy); — que what; — (hermoso) que how (fine)
loco crazy; n. fool
locura crazy thing, madness
lodo mud

lograr to succeed in
loquísimo completely mad
loro parrot
lucidez clarity
lucir to shine; display, wear
lucha fight, struggle, battle
luchar to fight
luego then; — pues so then
lugar m. place; stead
lugarteniente lieutenant
lúgubre gloomy
lujo luxury
luto mourning
luz f. light

LL

llaga wound, sore; hecho una — nothing but a mass of wounds
llagado wounded
llama flame
llamada call
llamado summons
llamar to call; attract; me llamo ... my name is ...; ¿cómo se llama? what is his name?
llamear to burn; gleam, glitter
llanto weeping, tears
llanura plain
llave f. key
llegada arrival
llegar to arrive; — a to reach, extend to, touch; come to; llegó a (marearme) he finally, actually (got on my nerves)
lleno de full of; covered with; de — fully
llevar to take, carry, bear, lead, move; —se to take away, blow away; win
llorar to weep
lloriquear to whine

llover (ue) to rain
llovizna drizzle
lluvia rain

M

macabro hideous, dreadful
mácula: sin — spotless
machetazo blow with a machete (cane-knife)
madera wood
madre mother
madrugada early morning
mal bad, badly; — hecho that's bad; n.m. evil, harm, injury
malagueño Malagan (from Málaga, a Spanish city)
maldad evil
maldito cursed; n. scoundrel
maléfico evil
malestar m. uneasiness
maleta suitcase
maleza weeds
maligno malicious
malo bad, wrong, evil
malquerencia ill-will
maltratar to abuse, insult, ill-treat
manar to shed
manco one-armed
manchado spotted
manda offer, vow
mandar to command, order
mandato order
mando command
manera manner; a su — in her own way; de cualquier— some way or other
manga de hule Mex. raincape
manifestar (ie) to show, reveal; —se to appear
mano f. hand

mantel m. tablecloth

mantener to hold, keep

Manzanillo seaport of the State of Colima in western Mexico

mañana morning; adv. tomorrow; — mismo no later than tomorrow

mar m.f. sea; la — de a pile of

maravilla marvel

maravillado de amazed at

marca mark

marcar to outline, plan

marco frame

marcha march, journey, progress; departure; poner en — to set in motion; seguir la — to advance

marchar to march; go; —se to leave; —se a la francesa to run away, take French leave

marear to annoy

margen f. edge, bank

marido husband

martillo: a macha — tried and tested

martirizar to torture

mas but

más more, most; — de, — que more than; no — (que) only

máscara mask

mascullar to mutter

matanza slaughter

matar to kill

matasellos postmark

mate: dar el — a to finish off

matorral m. underbrush

matrimonio marriage

mayor greater, greatest

mayoría majority

mecedora rocker

mecha wick

mediados: a — de in the middle of

médico doctor

medida measure; a — que as

medio half; mid; n. medium, circumstance, means

medir (i) to measure, weigh; scan; —se to weigh one's words

meditar to think about

medroso fearful

mejilla cheek

mejor better, best; a lo — probably; — (te sales) you had better (leave)

mejorar to get better

membrete m. letter-head

mendigo beggar

menester m. need; duty; ser — to be necessary

menor least, slightest

menos less, least; except

mensaje m. message

mente f. mind

mentir (ie) to lie

mentira lie; parecer — to seem incredible

merecer to deserve

mesa table

meseta plateau

mesita small table

meta goal

meter to put, thrust; —se to enter; —se con to join

mezclarse to mingle

Michoacán State in central Mexico

miedo (de,a) fear (of); dar — a to frighten; tener — (de,a) to fear

miedoso timid

mientras while, as long as

Miguel Michael; San — St. Michael (the Archangel)

mil (a) thousand

milagro miracle

militar to fight; n. soldier

millar m. thousand; a —es by the thousand

Ministro Secretary

minuciosamente in great detail

mirada gaze, glance; volver la — to look back

mirar to look (at), regard; — para to look toward

misericordia mercy

mismo same; very; myself, herself, etc.; por lo — for that very reason

misterios: con — mysteriously

mitad half; a la — de halfway along

mocito young boy

modal m. manner

modo way; de cualquier — in some way or other; de este — in this way; de — que so that; de ningún — by no means; de otro — differently; de tal — to such a degree; en cierto — to some extent

mofarse de to make fun of

moler (ue) to grind (corn)

molestar to bother, annoy

molestia annoyance, trouble

molesto annoyed

momentito just a moment

moneda coin

monísimo very lovely

monja nun

monseñor monsignor (title of honor given to elderly priests and bishops)

montaña mountain

montar to mount, ride, sit

montón m. pile

montura mount, steed

morada dwelling

morder (ue) to bite

Morelia *capital of the Mexican State of Michoacán*

morir(se) (ue) to die; ¡muera! kill him!

mostrar (ue) to show; —se to appear

mover (ue) to move; shake

mozalbete youth

mozo young fellow, youth

muchacho,-a fellow, boy, girl

mucho much, a lot (of), a great deal (of)

mudar(se) de to change

mueca grin, grimace; hacer una — to make a face

muerte f. death; de — to the death

muerto dead (man)

mujer woman; wife

mundo world; todo el — everyone

municipio town

muñeco doll; — de resorte Jack-in-the-box

murmullo murmur; en —s gossiping

muro wall

mutilado cripple

muy very

N

nacer to be born; begin

nada nothing; — de lo de (usted) nothing about (you); — más only

nadar to swim

nadie nobody

nadita not a thing

narigudo with a big nose

nariz f. nose

narrar to tell stories

natal native

naufragar to be wrecked, ruined

neblina mist

necedad stupid remark, blunder

necesitar to need

negar (ie) to deny; —se a to refuse

negro black

nerviosidad nervousness

ni neither, nor; not even

niebla fog

ninguno none, no one, not one, not any

niñera nurse

niño,-a boy, girl

nivel m. level

no no, not; ¿—? isn't it so, etc.

nocturno adj. night

noche f. night; de —, de la —, por la — at night; dar las buenas —s to say goodnight

nomás coll. only

nombrar to name, mention

nombre m. name; sin — unmentionable

norte m. north

notar to notice, sense

noticia news, bit of news

noviazgo courtship; engagement

novicia novice (person preparing to become a nun)

noviecita young sweetheart

novio,-a sweetheart; bridegroom, bride

nube f. cloud

nublado clouded sky

nuevamente again

nuevo new; de — again

número number

nunca never; ever

nutrido vigorous

O

o or; — ... — either ... or

obedecer to obey; agree

obispo bishop

obra work

obscuridad darkness

obscuro dark

obsequiar to present

obsidiana obsidian (volcanic rock)

obstinado obstinate, persistent

obtener to obtain

ocultar a to hide from

ocurrir to occur; lo que ocurre es the trouble is

ocho eight

odiar to hate

odio hatred

odioso hateful

ofrecer to offer

oír to hear, listen (to); — decir to hear; — hablar de to hear of

ojalá I hope, wish

ojo eye; a —s cerrados blindly, with one's eyes shut; poner los —s en to gaze at; un cerrar de —s a flash

ola wave

olor m. smell, whiff

olvidar(se de) to forget; **se me** olvidó I forgot (it)

once eleven

onda wave

ondear to waver

ondular to sway, weave

opacamente confusedly

oponerse a to oppose, prevent

oportunidad opportunity; time-liness

oportuno timely

optar por to choose to

opuesto opposite

oración prayer

orangután orang-outang

orar to pray

orden f. order

ordenar to order

oreja ear

orgullo pride

orgulloso proud

origen: dar — a to cause

orilla bank

ornato decoration

oro gold

osadía: con — boldly

osar to dare

oso bear

ostensiblemente ostensibly (with the pretense of)

ostentar to show

otoño autumn

otro other, another; else; different

P

pabellón m. outer ear

paciencia patience

pacífico peaceful

Pachuca *capital of the Mexican State of Hidalgo*

padre father; —s parents

pagar to pay (for)

paisaje m. landscape

pajarito little bird

palabra word; I swear, promise

palidecer to grow pale

pálido pale

paliza beating

palmada slap, pat

palmotear to applaud

pañuelo handkerchief

papel m. paper; role

paquete m. package

par m. pair, couple; al — at the same time

para for; to, in order to; — que so that

paraje m. part

páramo wasteland

parar to stop

parco sparing

pardear to grow dark

parecer to seem, look like; n.m. opinion

pared f. wall

pariente,-a relative

paroxismo fit

parpadeante blinking

parque m. Amer. arms

párroco parish priest

parroquia parish church

parte f. part; por todas —s everywhere

participar to take part; share with; tell; — de to share

partidario follower

partido party; match

partir to set out, leave

pasada: mala — *coll.* foul trick

pasado mañana the day after to-morrow

pasar(se) to pass, go; cross; happen; end; —(se) de to go beyond, be more than; eso ya pasó that's all over; no pasa de ser it's no more than; ¿qué le pasa? what's the matter with you?

pasear(se) to walk, ride

paseo walk, ride; de — on a walk, ride

pasmado astounded

paso pace, step; passage; cerrar el — to block

pastizal m. pasture

pasto pasture

patear to kick

paternalmente in a fatherly way

patio courtyard

patrón boss

pausadamente slowly

pavor m. dread

paz f. peace

pecado sin, wrong

pecho chest, breast

pedazo piece

pedir (i) to ask (for), beg

pelear to fight

peligro danger, risk

peligroso dangerous

pelo hair; montar en — to ride bareback

peltre m. pewter

pena pain, trouble, sorrow, misfortune

pendencia quarrel

pendiente de hanging on

penetrar to enter; — de to steep in

pensamiento thought

pensar (ie) to think; intend, decide; —en to think of; —bien to consider carefully

pensativo pensive, thoughtful

penumbra semi-darkness

peñascal m. mountain crag

peor worse, worst

pequeño little

perder (ie) to lose, give up; waste, ruin; —se to disappear

perdidoso loser

perdón m. pardon

perdonar to forgive

perecer to perish

periódico newspaper

perjudicar to spoil, ruin

perjuicio harm

permanecer to remain

permitir to permit, grant

pero but

perplejo confused

perro dog

perseguidor pursuer, persecutor

perseguir (i) to persecute

persignarse to cross oneself

perspectiva prospect

pertenecer to belong

pesadilla nightmare

pesado dull, stupid

pesar to weigh; n.m. sorrow, grief; regret; a — de in spite of

pescar to catch

peso weight; Amer. dollar

pesquisa inquiry

petrificar to paralyze

petróleo oil

petulancia peevishness

picar to bite; yap

picudo pointed

pie m. foot; a — on foot; al — de la letra faithfully; de —,

en — standing, present; ponerse en — to stand up
piedad pity
piedra stone
piel f. skin, hide
pierna leg
pieza room
pila font; en la — at baptism
pinar m. pine grove
pino pine tree
pintar to paint; describe
Pipitillas coll. Boozer
pisar to step on
piso floor
pista track
placer m. pleasure
placidez calm
plan m. plan; Amer. clearing,
plantation
planear to glide; hover
planicie plain
plano: de — frankly
plantado planted, set
plata silver
plática conversation
plaza square
pleno full, mid; en plena sierra
right up in the mountains
plomo lead: a — vertically
pluvioso rainy
población town; population
poblarse (ue) to fill, become
filled
pobre poor, meagre
pobreza poverty
poco little; not at all; — después
soon after; por — nearly
poder to be able, "can," "may";
no — con to be no match for;
no — menos de not to be able
to help; no puedo más I can't

stand it; puede ser (que) may-
be; n.m. power; possession
poderoso powerful
poesía poetry
político polite
poltrón easy-going
polvoriento dusty
pollo chicken
poner to put, place, set; fix; give;
—se to put on; become, get;
—se a to begin to
poniente setting
por for; to; through, along,
around; by; because of; — eso
(es que) therefore, that's why;
— más que (hizo) in spite of
all (he did); — más (cruel)
que (sea) however (cruel it is)
por qué why; no hay (no tengo)
— there is (I have) no reason
porque because
portador bearer
portal m. doorway
porte m. bearing
portón m. main door
porvenir m. future
poseer to possess; fill
posible possible; lo — everything
possible
posterior back
postre(s) m. dessert
poza pool
prado meadow
precaución caution
precaver to guard
precio price
precipitación haste
precipitado hasty
precipitar to urge forward; —se
to rush; blow
precisado forced

preciso necessary

pregunta question; **hacer una —** to ask a question

preguntar to ask

prejuicio prejudice

premio reward

prendido fastened

preocupar to worry

prescindir de to do without

presenciar to witness

presentar to introduce; —se to appear

presentimiento foreboding

presentir (ie) to foresee

preso prisoner

prestamente swiftly

prestar to lend; perform

presunto supposed

pretender to expect

pretendiente suitor

prevenir to notify

prever to foresee

previsión expectation; forethought

primero first; rather

primo,-a cousin

principiar to begin

principio beginning; **a —s de** at the beginning of

prisa haste; darse — to hurry; tener mucha — de to be in a great hurry to

privar to deprive

probar (ue) to test; prove

procedimiento tactic

procurar to try; contrive

prodigio wonder, miracle

profundo deep; sound; **lo —** the depth

prohibir to forbid; deny

prometer to promise

prometido fiancé

pronto soon, quickly; **al —** at first; **de —** suddenly

propagarse to spread

propalar to spread

propio own, of one's own

proponer to propose, suggest; —se to determine

propósito intention; **a — de** speaking of

prorrumpir to burst out

proseguir (i) to continue

proteger to protect

proximidad nearness

proyectar to cast

prudencia prudence, caution; **tener —** to be cautious

prueba trial, test

pueblo town

puerta door, entrance; **puertecita** little door

pues then, well; since; why

puesto job

puesto que since

pugnar por to struggle to

pulsar to test

punta point

puntería aim

punto point, period; **a — de** on the point of; **a — fijo** exactly, to tell the truth; **— en boca** not a word; **— final** that's the end

puñal m. dagger

puñalada stab of pain

puñetazo punch

puño fist; handle

puro pure; n. cigar

Q

que which, that, who; than; for
qué what (a); how
quebrar (ie) to break
quedar to remain, be left; be; — bien to be good; —se to stay; —se con to preserve
quedo quietly
quehacer m. task
quejarse to complain
quemadura burn, burning sensation
quemar to burn, be on fire; —se to be getting warm
quemarropa: a — point-blank
querer to wish, try; love; — decir to mean; si quiere if you don't mind; n.m. love
Querétaro *State in central Mexico*
querido beloved, dear
queso cheese
quien who; the one who; someone who
quién who
quince fifteen
quitar a to take away from; —se to take off; quitado de free from
quizá perhaps

R

rábano radish; importar un — to be of no importance
rabia rage
rabioso furious
ráfaga gust of wind
raíz f. root; de — by the roots; quitar de — to uproot
rama branch
ramo bouquet
rancho food; ranch, farm; rarchito little ranch, farm
rareza strangeness
raro strange; strangely
rascar to scratch
rato while, time; ratito moment
raudo swift
rayo ray; flash of lightning; thunderbolt
raza race; family
razón f. reason; right; dar la — a to agree with; tener — to be right
reaccionar to react, recover
realizarse to take place
reanimarse to recover courage
reanudar to continue
reaparecer to appear again
rebanar to slice off
rebelde rebel
rebosante de filled with
rebosar to overflow with
rebozo shawl; — de bolita fringed shawl
recámara Mex. bedroom
recargarse Amer. to lean
recelo suspicion
recibir to receive, get
recibo reception
recién recently, newly; de — llegados just after arriving
recinto place
reclamar to call for
recluído secluded
recobrar to recover
recodo turn in the road
recoger to acquire, collect, gather (in)
recomendación suggestion
reconcentrado intense

reconocer to recognize; examine

reconstituir to reconstruct

recordar (ue) to remember, recall, remind (of)

recorrer to travel on, wander through, search

recortar to outline

recreo pleasure

rectamente straight up

rectificar to correct

recuerdo memory; souvenir, momento

recuperar to recover, regain

rechazar to reject, repel

redoblarse to be twice as great

reemprender to begin again

referir (ie) to relate, tell; describe; —se to refer

reflejo reflection

reflexionar to reflect

reflexivo thoughtful

refrán m. proverb

refrenar to rein in

refugiarse to take refuge

regado de soaked with

regalo gift

regla rule

regocijar to delight

regocijo rejoicing

regresar(se) to return, go back

regreso return; de — going back

rehabilitar to reinstate

rehacer to redo, recreate, recover; retrace

rehuir to avoid

reina queen

reír(se) (i) to laugh; —se de to laugh at

relación relation; tener — con to concern

relacionarse con to concern

relámpago flash of lightning

relato story

relieve: poner de — to bring out

relincho neigh

rematar to finish off

remedio remedy; alternative; no tuve más — que I couldn't help

remordimientos m.pl. remorse

remozado young-looking

rencor m. resentment

rencoroso spiteful

rendir (i) to render; —se to give in

renunciar a to give up

reñido hard-fought

reñir (i) to quarrel

repartir to distribute

repecho hill

repente: de — suddenly

repentino sudden

replicar to reply

reponer to reply; —se to recover

reprensible blameworthy

representarse to appear; imagine

repugnancia aversion

repugnar to disgust

resaltar to stand out

rescatar to rescue

resguardar to protect

resolución decision, firmness

resolverse (ue) to determine

resonante thumping

resonar (ue) to echo

respeto: faltar al — to be disrespectful

respingo start

respirar to breathe (easily)

resplandor m. flash

responder to answer

respuesta answer

resto remain, remnant; ruin

resucitado revived, raised from the dead

resueltamente without hesitation

resuelto resolute, determined

resultado result

resultar to result, turn out to be

retener to repress

retirar to remove, withdraw

retorcerse (ue) to wiggle, writhe

retrasar(se) to delay, lag

retrato portrait

retroceder to retreat, step back

reunir to unite, gather; —se a, con to join

reventar (ie) to burst

revisar to search

revolotear to whirl

revuelo whirling

revuelta turn, bend

revuelto turbulent

rezar to pray

ribera shore, bank

rico rich

riendas f.pl. reins

riesgo risk, danger

riñón m. kidney

río river

risa laugh, laughter

ritmo rhythm

rizado rippling

robar(se) to steal, rob

robusto vigorous

roca rock

roce m. rustling

rodada rut

rodar (ue) to roll (away), move

rodear to surround

rodeos: dar — to beat about the bush

rodilla knee; ponerse de —s to kneel

rogar (ue) to beg, pray

rojizo reddish

rojo red

romper to break; breast, splash through

rondar to haunt

ronzal m. halter

ropa clothes; — de montar riding clothes

rosario rosary

rostro face

roto broken, worn

rozón m. grazing wound

rudo rough, crude, hard

rugir to roar

ruido noise

ruinoso ruined, broken

rumbo direction; agarrar el — de to set out for

rumor m. murmur; noise

rumoreo Amer. patter

rumoroso murmuring

rústico peasant

ruta road; hacer la — to travel along

S

saber to know (how to); be able; be told; — de to know about, hear of; que yo sepa not that I know of; supe, etc. I knew, found out, managed to, etc.

sabiduría wisdom, skill

sacar to take out, draw, get

sacerdote priest

saciar to satisfy, vent

sacudida upset

sacudir(se) to shake (off), quiver; dust off

sagrado sacred

sala living-room; — de respeto parlor

Salamanca *city in the Mexican State of Guanajuato*

salida outcome

salir(se) to go out; rise; — a to go out into; — de to leave

saltar to jump, leap; poke out

salto jump, leap; dar el — to be caught

salud f. health

saludar to greet

saludo greeting

salvajada wild, cruel deed

salvaje wild, savage; tremendous

salvar to save; clear, avoid

salvo safe; a — safe

sangre f. blood

sangriento bloody

sano well

santísimo most blessed

santo,-a holy, saintly; en el — (suelo) right on the (floor); n. Saint

Satanás Satan

satánico fiendish

satisfecho satisfied, pleased

sauce m. willow

saudadoso *Port.* brooding

secar to dry

seco dry; en — abruptly

secretario confident

secuestro kidnapping

sed f. thirst; tener — to be thirsty

sedoso silky

seguir (i) to follow, go on, continue (to be)

según as, according to

segundo second

seguridad certainty

seguro sure, safe

selva forest

selvático wild

semblante m. face, expression; poner un — to look

sembrado filled; n. tilled field

semejante similar, such a

semejanza resemblance

semejarse a to resemble

semiderruído half-demolished

sencillo simple

sendero path

sensible sensitive

sentar (ie) to seat, sit up; —se to sit down, sit up

sentenciar to decide

sentido sense, consciousness

sentimiento feeling

sentir(se) (ie) to feel

seña signal

señal f. sign

señalar to point out

señor sir, mister, gentleman; Señor Lord

señora lady, madam

señoril aristocratic

señorita young lady, miss

sepultura burial

ser to be; — de to belong to, become of; es que the fact is that, it's because; sea agreed; siendo así if that's the case; n.m. being, one, person

serenarse to calm down

serenata serenade; llevar —s to court with serenades

seriedad seriousness

serio serious, grave

servicio serving; de — waiting on table

servidor servant
servil humble
servilleta napkin
servir (i) de to serve as
si if, whether
sí yes; *often used for emphasis;*
  sí (que) viene he IS coming
siempre always, ever; still; para
  — forever; — que whenever
sien f. temple
sierra mountains
siesta nap; early afternoon
siete seven
sigilo: con — secretly
siglo century; world
significar to mean
siguiente following
silbar to whistle
silbido whistle
silla chair; saddle
sin without; — más without delay; — que without
siniestro unlucky, sinister
sino, but, except; no ... — only
siquiera even; just
sirvienta servant
 itio place; siege
soberbio fiery
sobre m. envelope
sobre on, upon, over, above;
  about; — todo especially
sobrenombre m. nickname
sobresaltarse to be startled
sobresalto sudden fear
sobrevenir to overcome
sobriedad abstemiousness (frugal
  appetite)
sobrino nephew
sofocado overcome
sol m. sun
solamente only, alone

solas: a — alone
soldado soldier
soledad solitude, loneliness
solicitar to beg for
solicitud request
solo alone; single, mere
sólo (que) only: — con merely
  by
soltar (ue) to free, let go; —se
  to break away
soltero single, unmarried
sollozar to sob
sollozo sob
sombra shadow
sombrero hat
sombrío dark, gloomy; brooding
someter to subject
sonaja rattle
sonar (ue) to sound; murmur
sondear to sound out
sonreír(se) (i) to smile
sonrisa smile
sonsacar to draw out
soñar (ue) (con) to dream of
soplar to blow; sweep
soplo breath; hint
soplón m. informer
soportar to endure, support
Sor Sister
sorbo sip
sordamente in a low voice
sordo dull
sorprender to surprise, catch
sorpresa surprise
sospecha suspicion; en —s suspicious
sospechar to suspect
sostener to hold up
subir to go up, rise; — a to climb
  to, get in
súbito sudden

substituir to replace, change

suceder to happen; —se to follow one after the other; lo sucedido what happened

suceso happening, event

sucio dirty; muddy

suelo ground

suelto free, loose

sueño dream; sleep; sleepiness

suerte f. luck, fate

sufriente suffering

sufrimiento suffering

sufrir to suffer; meet with

sugestionado hypnotized

suicidarse to commit suicide

sujetar to hold

sumergido sunk

sumirse to submerge

superar to exceed

superficie surface

superviviente survivor

súplica request

suplicar to beg

suplicio torture

surgir to appear; issue

suscitar to raise

suspicacia distrust

suspirar to sigh

suspiro sigh

susto scare; llevarse un — to get a scare

T

tabla board

tablón m. plank

tacita little cup

tajado steep

tal such (a)

taladrar to pierce

tallado carved

talle m. figure

tallo flower-stem

tamaño so great

también also

tampoco neither, not ... either

tan as, so

tantito a bit

tanto as (so) much; ¿ — así? as good as that?; — más ... cuanto que all the more ... since

tapia wall

tardanza delay

tardar to delay, spend

tarde f. afternoon, evening

tarde adv. late, too late; de — late in the day; — o temprano sooner or later

tardío tardy

tarea task

taza cup

techo roof

tema m. subject

temblar (ie) to tremble, shake

temer(se) to fear; de — formidable

temerario rash

temible fearful

temor m. fear

tempestad storm

temporal m. stormy weather

temprano early, soon

tenaz steady

tender (ie) to hold out

tenebroso dark

tener to have; consider; — que to have to; — que ver con to have to do with; ahí tiene usted cómo that proves that; ¿qué tiene? what's wrong with him?; ¿qué tiene de (malo)? why is it (wrong)? what's (wrong) about it?; **tenga** here you are

tenue faint

tequila *Mex. alcoholic drink made from the maguey plant*

tercero third

terciopelado velvety

tergiversar to make conflicting statements

terminar to end, finish

ternura tenderness

terruño home town

tertulia social gathering; conversation; **hacer —** to begin a conversation

tesoro treasure

testarudo stubborn

testigo witness

tía aunt

tibio *n.* luke-warm fellow

tiempo time; weather; **a —** in time; **a — que** as; **estar en — de** to have time to

tierra earth, land, region, territory; property; home

tijera sawhorse

tiniebla(s) darkness

tipo creature

tirador marksman

tirar de to pull

tiro shot; **entrarle a los —s** to get into the fight; **— de gracia** final shot

tirón *m.* yank

tocar to touch (on), tap

todavía still, yet

todo all, entire; everything; **a — esto** meanwhile; **con —** yet; **— es** it's all in

tomar to take; get

tonto,-a foolish; *n.* fool

toparse con to come upon

toque *m.* call, signal

torbellino whirlwind, whirlpool

tordo thrush

tormenta tempest; torment

tornar to return; turn; make

torno: en —a around

torpe clumsy, awkward

torpeza blunder

torre *f.* tower

torvo grim

trabajar to work

trabajo(s) work; effort, trouble

traer(se) to bring, carry; have; come with

tragar to swallow; endure

traición betrayal; **a —** treacherously

traicionar to betray

traidor traitor, betrayer

traje *m.* gown

trámite *m.* (legal) proceeding, step, preparation

trampa trap

trance *m.* peril

tranquilizarse not to worry

tranquilo tranquil, quiet

transir to kill

transparentar to show, slip out

tras (de) after, behind

traslucir to gleam

traspasar to pierce one's heart

trastabillar to stagger

trastornar to upset, agitate

trasvolar (ue) to fly across

tratar to treat; **— de** to try to; **—se** to come in contact; **—se de** to be about, be a question of

trato conversation

través: a — de through

travesura prank

trayecto trip

trazar to trace, outline, leave an impression of

trazo mark

trecho distance

trémulo trembling

tren *m.* train

tres three

triste sad, mournful

tristeza sadness; con — sadly

tristón dreary

triunfar to win

triunfo victory

trizas: hacer — to shatter

trocitos: hacer — to cut into little pieces

tromba: en — like a cyclone

tronco trunk

tropa troup

tropezar (ie) con to encounter, stumble on

trueno thunder

tuerto one-eyed

tumba tomb

tumbar to knock (shoot) down

turbador upsetting, alarming, bewildering

turbar to confuse, worry, upset

tutear to speak intimately (using tú rather than usted)

tutor guardian

U

último last; recent

ultraje *m.* outrage

único only; únicamente only

unir to unite, put together

unos,-as some, a pair of

uso habit, custom

útil useful

V

vaciar to empty

vacilante hesitating

vacilar to hesitate

vacío empty

vado ford, river-crossing

vagabundo vagabond, outcast

vagar to roam

valer to be worth; supply; — más to be better

valeroso brave

valiente brave

valor *m.* courage; value

valsar to waltz; whirl

valle *m.* valley

vano: en — in vain, without effect

vaquero cowboy

vara stick, branch

variar to change

varios,-as several

vaso glass

veinte twenty; veintiuno, *etc.* twenty-one, *etc.*

vela candle

velado veiled; hushed

velo veil

velocidad speed

vencer to beat, conquer, overcome; —se to control oneself

venda bandage

vender to sell; betray

veneración reverence

vengador avenger

venganza vengeance

vengar to avenge

vengativo revengeful

venir(se) to come

ventaja advantage

ventana window

ver to see, look at; do; — para to look toward; —se to be

verbigracia for instance

verdad truth; ¿—? ¿no es —?
　isn't it so? etc.; en — really
verdadero true, real
verdugo executioner
vereda path
vergüenza shame
vericuetos *m.pl.* rough country
vestido dress; *p.p.* dressed
vestir (i) de to dress in, clothe
　with; —se to dress
vetusto ancient
vez time; alguna — ever; cada
　— más more and more; de
　una — once and for all; de —
　en cuando from time to time;
　otra — again
viajar to travel
viaje *m.* trip, journey
viajero traveller
viandante *m.* traveller
víbora viper
vida life; en mi — never
vidrio glass; —s window
viejecita little old woman
viejo,-a old (man, woman)
viento wind
vigilancia watch; guards
vigilante guard
vigilar to watch over, be on
　guard
vigoroso sharp
villano contemptible
vino wine
viñeta vignette (decoration on a
　page)
violencia: sin — tactfully
virrey viceroy
visible clear, evident
víspera evening before
vista sight; perder de — to lose
　sight of
viuda widow

víveres *m.pl.* provisions
vivir to live
vivo alive; lively, intense; *n.* liv-
　ing person
vocear to shout
vocerío outcry
volanta *Amer.* buggy
volar (ue) to fly; —se to fly
　away; salir volando to dash
　along
volcán *m.* volcano
volcarse (ue) to pour out
voltear *Amer.* to turn
volver (ue) to return; turn;
　bring back; — a (hablar) to
　(speak) again; —se to become;
　turn (back)
vomitar to spew forth; send out
voz *f.* voice; en — alta aloud
vuelco upset; quiver
vuelo flight; levantar el — to fly
　away
vuelta turn; return; dar una —
　to turn around; dar —s to
　walk around

Y

y and; so
ya already; now; soon; later; —
　no no longer; — que since
yacer to lie

Z

zaga rear
zaguán *m.* vestibule, entrance
zapato shoe
Zapotlán *town and lake in the
　Mexican State of Jalisco*
zarco light-blue
zozobra worry
zumbido roar
zumbir to roar